مُندری والا

(Jamal Syndrome)

وحید احمد

مُندری والا

(Jamal Syndrome)

وحید احمد

مثال پبلشرز

رحیم سینٹر، پریس مارکیٹ، امین پور بازار، فیصل آباد

جملہ حقوق بہ حق مصنف محفوظ ©

اشاعت	:	2012ء
کتاب	:	مُندری والا
مصنف	:	وحید احمد
ناشر	:	محمد عابد
تزئین	:	عبدالحفیظ
قیمت	:	250روپے
تعداد	:	1000
مطبع	:	B.P.H پرنٹر،لاہور

Mundri Wala

by

Waheed Ahmad

Edition - 2012

اہتمام

مثال پبلشرز رحیم سینٹر پریس مارکیٹ امین پور بازار،فیصل آباد
Ph:041-2615359 - 2643841 Cell: 0300-6668284
E-mail:misaalpb@gmail.com

شوروم

مثال کتاب گھر ،صابریہ پلازہ،گلی نمبر8،منشی محلہ،امین پور بازار،فیصل آباد
Cell: 0300-7980300
E-mail:misalkitabghar@gmail.com

شمع جو نیجو کے نام

بازیچۂ اطفال ہے دُنیا میرے آگے
ہوتا ہے شب و روز تماشا مرے آگے

(غالبؔ)

’’کیوں—؟‘‘

یہ پوچھتے ہوئے مُندری والا کرسی سے اُٹھا اور اس نے کھڑکی کے آگے ڈٹے ہوئے دبیز پردے کو جھٹکے سے ہٹایا۔ چکا چوند کمرے میں پھٹی۔ روشنی کا سیلاب یوں اُمڈا گویا پردے کے بند نے دھوپ کا ایک دریا روک رکھا تھا۔ اس نے بستر پر لیٹے لیٹے سُکڑتی آنکھوں سے نگاہ کھڑکی سے باہر پھینکی، جہاں سامنے پہاڑ پر موسمِ بہار کی سبز دھوپ بیٹھی تھی۔

کمرہ وسیع وعریض تھا جسے ہلکے بھورے رنگ کے کارپٹ نے ڈھانپ رکھا تھا۔ کمرے کے وسط میں قرمزی رنگ کا منقش ایرانی قالین بچھا تھا جس پر مور کی شبیہہ نمایاں تھی۔ جس پلنگ پر وہ سرخ کمبل اوڑھے لیٹا تھا، اس کے چاروں پائے گرجے کے مخروطی میناروں کی طرح باریک ہوکر بلند ہوتے تھے۔ ہر مینار کے گرد سنہری پینٹ تھا جو کلس کی طرح جگمگاتا تھا۔ اُونچی چھت پر سفید اور دیواروں پر آف وائٹ ڈِس ٹمپر کی صفائی تھی۔ پلنگ کی داہنی جانب نہایت دِلکش برآمد شدہ لیمپ نقرئی دھات کی شاخ پر کھڑا تھا جس کا پیندا سُرمئی رنگ کی گولائی میں تھا۔ دُور بائیں جانب دو گہرے خاکی

رنگ کے صوفے قائمہ زاویہ پر رکھے تھے جن کے دبیز پارچوں کو اندرونی فوم نے نرمی سے جکڑ رکھا تھا۔ صوفے اتنے تیار تھے جیسے ابھی چل پڑیں گے۔ صوفوں کے سامنے رکھے لکڑی کے سہ شاخہ سٹینڈ کو اُوپر دھرے ہوئے شیشے کی گولائی نے میز کر دیا تھا۔ میز پر انسانی کھوپڑی کی شکل کا ایش ٹرے انسان کو اس کی اوقات بتا تا تھا۔

صوفوں سے ذرا ہٹ کر سُرمئی رنگ کا مختصر ڈائننگ ٹیبل تھا جس سے چار کرسیاں چمٹی ہوئی تھیں۔ ہر کرسی کی کمر محتاط کنواری لڑکی کی طرح چُست اور کسی ہوئی تھی جب کہ نچلی پُشت اور ٹانگوں میں پھیلاؤ تھا، جیسے بیاہی عورتوں کے جسم میں ہوتا ہے۔ ڈائننگ ٹیبل کی چمکتی سطح پر تین آدمیوں کے لیے خاکستری پلیٹیں لگی ہوئی تھیں۔ ڈائننگ ٹیبل کے پیچھے سیاہ بک شیلف تھا جس کے تین خانوں میں چھوٹی بڑی رنگین کتابیں حادہ زاویہ بنائے کھڑی تھیں۔ سامنے دیوار پر بہت بڑی تجریدی پینٹنگ شیشہ لگے دھاتی فریم سے جھانکتی تھی۔ کمرے کے دو دروازے آمنے سامنے تھے۔ دروازوں اور کھڑکی کے پہلو میں گہرے خاکی رنگ کے مخملیں پردے لٹک رہے تھے۔

بستر پر لیٹے لیٹے اس نے اُداس نظر کمرے میں دوڑائی۔ اس کی آنکھیں خالی تھیں— یکسر خالی۔ وہ کمرے کو یوں دیکھ رہا تھا جیسے آئینہ آسمان دیکھتا ہے۔ وہ کچھ نہ دیکھتے ہوئے سب کچھ اور سب کچھ دیکھتے ہوئے کچھ نہیں دیکھ رہا تھا۔ کمرے میں گردش کرتے کرتے اس کی نظریں داہنی جانب کھڑے لیمپ سے پھسل کر کرسی پر بیٹھے ہوئے اس کریہہ الشّکل چہرے پر رُکیں جس کے بائیں بُنِ گوش میں سونے کی چھوٹی سی مُندری چمک رہی تھی اور جس کا رنگ مردے کی طرح زرد تھا۔ ''شاید وہ چہرے کا رنگ کاٹنے کے لیے مُندری پہنتا ہے'' اس نے گردن کے گرد کمبل لپیٹتے ہوئے سوچا۔ اس کی داہنی کلائی میں چاندی کا موٹا کڑا تھا جس پر ہندسے، حروفِ تہجی اور آڑی ترچھی لکیریں کُھدی ہوئی تھیں۔ اس کی آنکھوں میں چونکانے والا بھینگا پن تھا۔ داہنی آنکھ ذرا دبی ہوئی

جب کہ بائیں کچھ باہر کو نکلی ہوئی تھی۔ اس کے لہریا بال ماتھے پر نوک بنائے ہوئے تھے۔ بائیں گال پر زخم کا گہرا نشان تھا۔ جو کُنجِ لب سے مُندری تک جاتا تھا۔ لمبی ٹھوڑی میں گہرا ڈِمپل تھا۔ دُبلی لمبی گردن چہرے کی ڈھکیل کو چھریرے بدن سے جوڑتی تھی۔ انتہائی باریک مونچھوں کی لکیر غور سے دیکھیں تو سمجھ میں آتی تھی۔ باریک اور سیاہ ہونٹ کھلے، نوکیلے دانت نمودار ہوئے اور آواز آئی:

''کیوں — ؟؟''

مُندری والا اپنا سوال دُہرا کر اس کی طرف غور سے دیکھنے لگا۔ اس نے تکیہ موڑ کر مُندری والا کی طرف کروٹ لی اور بولا۔

''کیونکہ اب اور جیا نہیں جاتا — دِل بجھ گیا ہے۔''

''کیوں — ؟''

''اس لیے کہ میں زندگی سے اُکتا گیا ہوں۔''

''کیوں — ؟''

''وہ اس لیے کہ مجھے جینے سے گھبراہٹ ہوتی ہے۔''

''کیوں — ؟''

''کیونکہ زندگی بہت بھاری ہے۔''

''کیوں — ؟''

''تم اتنا کیوں کیوں — کیوں کرتے ہو؟ ہاں! کیوں کرتے ہو۔ میں نے کہا نا — زندگی بہت بھاری ہوگئی ہے مجھ سے اُٹھائی نہیں جاتی۔ میں زندگی کی باربرداری کرتے کرتے تھک گیا ہوں۔ جب میں ہر صبح زندگی کا بھاری پتھر اپنی پیٹھ پر لاد کر گھر سے باہر نکلتا ہوں تو سارے جسم کی وریدیں پھول جاتی ہیں۔ جب یہ پتھر اُٹھائے شام کو گھر لوٹتا ہوں تو جسم خراشوں سے چھلنی ہوتا ہے۔ میں گھر کی دہلیز پر منہ کے بل گر جاتا

ہوں یوں کہ پتھر میری پُشت پر دھرا ہوتا ہے۔ میں زور لگا کر نیچے سے نکلنے کی کوشش کرتا ہوں تو گوشت پھٹ جاتا ہے۔ پنڈلیاں ادھڑ کر میرے پاؤں پکڑتی ہیں اور پتھر — عریاں ہڈیوں پر دڑ دڑاتا ہے، کرڑتا ہے۔ جب میں پتھر سے نکل کر چلتا ہوں تو لگتا ہے جیسے کوئی ڈھانچہ رواں ہے۔ جس کی ننگی ہڈیوں پر چیتھڑے لٹک رہے ہیں۔ ہر اُٹھتے قدم کے ساتھ بے ہنگم، اِدھر اُدھر ہلتے ہوئے۔ میں آدھی رات تک اپنے جسم کے لوتھڑے ہڈیوں پر مرہم کی طرح لگاتا ہوں پھر تنگ لباس پہن کر سو جاتا ہوں تاکہ صبح تک ہڈیاں ماس پکڑ لیں اور میں پھر سے زندگی کی مزدوری کرنے کے قابل ہو سکوں۔''

''شاعر ہو؟'' مُندری والا نے مسکرا کر پوچھا تو گال پر کُھدے ہوئے زخم کے نشان نے اُچھل کر مُندری پکڑنے کی کوشش کی۔

''نہیں۔''

''باتیں تو شاعرانہ کرتے ہو۔'' مُندری والا نے سگریٹ سلگایا تو چاندی کا کڑا کلائی سے پھسل کر کُھلی آستین میں جا گرا۔

''بات چونکہ دِل سے نکلی ہے اس لیے شاعرانہ لگی ہے تمہیں—'' اس نے سرخ کمبل جھٹک کر سینے سے اُتارا تو کھانسی کی گونج سینے سے نکلی۔

''کبھی کسی ہسپتال میں داخل رہے ہو؟ میرا مطلب ہے کہ کبھی کسی ماہرِ نفسیات کے زیرِ علاج رہے ہو؟'' مُندری والا نے دھوئیں کا مرغولہ چھوڑا مگر اس کی کھانسی کی شدت محسوس کرتے ہوئے سگریٹ کارپٹ پر رکھے ہوئے شیشے کے ایش ٹرے میں بجھا دیا۔

''نہیں ابھی میرا ذہنی توازن درست ہے۔'' اس نے کمبل اپنے سینے پر آہستگی سے لپیٹا۔

''کیا ذہنی توازن رکھنے والے خودکشی کرتے ہیں؟'' مُندری والا سوال کرتے

ہوئے چھت کو گھور رہا تھا۔ بھینگا پن اور واضح ہو گیا تھا۔

''ہاں۔''

''مگر کتابیں تو یہ نہیں کہتیں۔'' مُندری والا کی نظریں ڈائننگ ٹیبل پار کرتی ہوئی بک شیلف پر اُتریں۔

''بہت سی شہرہَ آفاق کتابیں لکھنے والوں نے بھی خودکشی کی ہے۔'' اس نے فوراً جواب دیا۔

''ضروری نہیں کہ شہرہَ آفاق کتابیں لکھنے والے ذہنی توازن بھی رکھتے ہوں۔ خیر! بہت پڑھے لکھے معلوم ہوتے ہو۔'' مُندری والا نے اپنی نظریں واپس کھینچ لیں۔

''ہاں۔''

''تعلیم کیا ہے؟''

''دھوکا ہے۔''

''میرا مطلب ہے کتنا پڑھے لکھے ہو؟'' مُندری والا نے سوال صاف کر کے اس کے سامنے رکھا۔

''میں ماہرِ جمالیات ہوں۔''

''یعنی؟''

''انگریزی ادب میں پی ایچ ڈی ہوں اور فنونِ لطیفہ میں بھی۔''

''خوب! میں تمہیں ڈاکٹر صاحب کہوں یا بڑے ڈاکٹر صاحب؟'' مُندری والا کی آنکھوں میں تعریفی بھینگا پن تھا۔

''تم مجھے جمال کہو، جو میرا نام ہے۔''

''جمال میاں تم زندگی سے تنگ ہو یا لوگوں سے؟''

''لوگوں نے میری زندگی اجیرن کر رکھی ہے۔'' جمال نے بتایا۔

''کتنے لوگ ہیں؟''

''بہت سے ہیں۔''

''ڈیڑھ دو سو ہوں گے؟''

''نہیں اتنے تو نہیں۔'' جمال نے آنکھیں سکیڑ کر دیوار پر لگی گھڑی دیکھ کر کہا جو صبح کے گیارہ بج کر سات منٹ دکھا رہی تھی۔

''پچاس ساٹھ؟'' مُندری والا نے تخمینے کی چُھری سے بھاؤ کاٹا۔

''اڑتیس ہیں — پورے اڑتیس۔'' جمال نے سوچ کر بتایا۔

''اگر تم دریا میں ڈوب کر مر جاتے تو اُن اڑتیس لوگوں کا کیا جاتا؟ وہ کسی اور جمال کا ناطقہ بند کر دیتے — پھر وہ جمال بھی مر جاتا تو کیا ہوتا؟''

ڈائننگ ٹیبل کے پیچھے کا دروازہ کھول کر ایک لڑکی کمرے میں داخل ہو چکی تھی اس کے ہاتھوں میں چائے کا ٹرے تھا۔ لڑکی نے سرخ رنگ کی شال اوڑھ رکھی تھی۔ اس کے کٹے ہوئے بال بیک وقت بکھرے اور سنورے ہوئے تھے۔

''یہ میری بیٹی ہے شینا۔''

شینا نے ٹرے پلنگ پر رکھا اور ہتھیلی جمال کے ماتھے پر۔

''اب اس کی طبیعت بہتر معلوم ہوتی ہے بابا۔''

یہ کہہ کر وہ مُڑی اور پلنگ کے گرد قوس بناتی ہوئی واپس دروازے کی جانب چل دی۔ جمال اس بے ساختہ مسیحائی پر حیران رہ گیا۔ جب مُندری والا چائے بنا رہا تھا تو جمال نے آہستہ آہستہ اپنا آدھا جسم کمبل سے باہر نکالا اور ٹیک لگا کر بیٹھ گیا۔ چائے پیتے ہوئے اُسے گزشتہ کل کے واقعات وضاحت سے یاد آئے۔

— میں دریا میں کیوں اُترا؟ مرنے کے تو اور بھی مؤثر اور آرام دہ طریقے ہیں۔ ہاں! یہ درست ہے کہ مایوسی نے میرا ذہن شل کر دیا تھا۔ میں بہت دیر شہر کے

بازاروں میں آوارہ پھرتا رہا۔ پھر ایک بس قریب آ کر رُکی اور دروازے سے لٹکے ہوئے کنڈیکٹر نے مخصوص پیشہ ورانہ وثوق سے کہا ''آ ؤ باؤ جی آ ؤ۔ سیٹ خالی ہے۔ آ ؤ جی آ ؤ۔ ٹائر کے اُوپر والی سیٹ نہیں، سات نمبر ہے، سنگل سیٹ — ''اور میں بے ارادہ سوار ہو گیا۔ بغیر پوچھے کے یہ بس کہاں جا رہی ہے۔ بس کئی گھنٹے میدان میں دوڑتی رہی اور پھر پہاڑوں کی گھومتی گھماتی اُونچی نیچی سڑک پر اینٹھنے لگی۔ بالآخر ایک چھوٹے سے اڈے پر رُکی۔ سب سواریاں اُتر گئیں۔

''اُترو صیب! بس صفائی مانگتا ہے۔'' دروازے پر کھڑے میلی ٹوپی والے ایک شخص کی آواز پر میں نیچے اُترا۔ میں نے کرایہ بھی شاید دیا، یا نہیں۔ راستے میں کئی جگہ بس رُکی ہو گی۔ میں نے کچھ کھایا پیا بھی یا نہیں۔ بس سے اُتر کر میں چلنے لگا— میں کسی گاڑی کے نیچے کیوں نہیں آیا؟ چلتے چلتے سامنے دریا آیا—

مُندری والا جمال کی سوچ سے آگے سوچ رہا تھا۔

''یہ بھڑوا کیا کر رہا ہے؟؟ کپڑوں سمیت دریا میں اُتر رہا ہے۔ دیکھو تو، جیسے کسی نے چابی بھرا کھلونا کنارے پر چھوڑ دیا ہو، دریا کی طرف منہ کر کے۔ نکالو اِسے۔''

مُندری والا نے چٹکی بجا کر اپنے آدمیوں کو اِشارہ کیا۔ دو آدمیوں نے قمیصیں اُتاریں، شلواریں اُڑسیں اور شکاری کتوں کی طرح خرگوش پکڑنے لپکے۔ کچھ دیر وہ سست رو دریا کے بہاؤ کے موافق سمت میں کنارے پر دوڑتے رہے اور ڈوبتے شخص سے کچھ آگے نکل گئے، پھر دریا میں چھلانگ لگا کر چھپڑ چھپڑ تیرتے اس شخص کے پاس پہنچے جو پانی میں بے ربط ہاتھ چلا رہا تھا۔ جب مُندری والا چلتا ہوا ان کے پاس آیا تو دونوں نیم عریاں آدمی ڈوبنے والے کو مصنوعی تنفّس دے رہے تھے۔ مُندری والا نے جوتے کی نوک سے بے ہوش شخص کا چہرہ بلند کیا۔ چالیس بیالیس سالہ، کوئی چھ فٹ لمبا شخص دریا کے پتھریلے کنارے پر بے حس و حرکت لیٹا ہوا تھا۔ ہلکا سانولا رنگ، سر پر سیدھے بال۔

شیو بڑھی ہوئی۔ چہرے اور سر کے بالوں میں کہیں کہیں سفیدی کی جھلک۔ نیم بیضوی چہرہ بڑی بڑی آنکھوں پر پپوٹوں کے نیم وا در جن پر پلکوں کے کھلے ہوئے قفل۔ پپوٹوں کا رنگ چہرے سے قدرے صاف۔ ماتھے پر گیلے بالوں کا کُنڈل۔ کانوں کی زرد رنگت، جیسے ہلدی ملے پانی سے دھوئے گئے ہوں۔ توانا گردن۔ چوڑے کاندھے۔ بدن دُبلا نہ فربہ۔ پتلون، جس کا اصل رنگ پانی کی نمی میں چھپا ہوا۔ دھاری دار شرٹ، کچھ پتلون کے اندر اور زیادہ باہر نکلی ہوئی۔ شرٹ اور پتلون کے درز سے جھانکتی پیٹ کی سانولی جلد۔ پتلون کے گرد کس کر باندھی ہوئی بیلٹ جو لیٹنے پر ڈھیلی نظر آتی تھی۔ سیاہ بوٹ، بائیں بوٹ کے تسمے کھل کر چمڑے سے چپکے ہوئے۔ دائیں بوٹ کے تسموں کی گرہ بے ترتیب۔ پھولے ہوئے ریشوں والی چتکبری جرابیں۔ آستینوں سے نکلے ہوئے مضبوط ہاتھ۔ زرد ہتھیلیوں پر سیاہ لکیروں کا جال۔ اس نے جوتے کے تلوے سے بائیں ہاتھ کی بھنچی ہوئی اُنگلیوں کو دبایا تو ہتھیلی کھل گئی جس پر عمر کی لمبی لکیر آڑے ترچھے جال میں نمایاں تھی۔ مُندری والا جھکا۔ بائیں انگوٹھے کی پور سے نیم وا داہنی آنکھ کا پپوٹا اُٹھایا۔ لائٹر جلا کر پُتلی کے قریب کیا۔ سیاہ رنگ کی پُتلی کے روزن نے سُکڑ کر لیٹے ہوئے شخص کے زندہ ہونے کا اعلان کیا۔

"لے جاؤ" مُندری والا نے لائٹر کا ڈھکنا کھٹاک سے بند کرتے ہوئے کہا۔ آٹھ آدمیوں کی ٹولی نے دو قطاروں میں کاندھوں کا سٹریچر بنایا اور بھیگے ہوئے شخص کے ڈھیلے بدن کو اُٹھا کر اُوپر چڑھنے لگے۔ دُور سے موسیقی کی صدا آ رہی تھی۔ پہاڑی راستے میں سٹریچر لوگوں کے ایک جُھرمٹ کے قریب سے گزرا۔ ایک سیاہ فام شخص بانسری بجا رہا تھا۔ ایک انگریز ہسپانوی گٹار پر تال دے رہا تھا۔ باقی لوگ تالی کی سنگت سے دُھن کو قوالی کا رنگ دے رہے تھے۔ بھیگے ہوئے شخص کے بازو لٹکے ہوئے تھے۔ ساز کے گرد بجتی ہوئی تالیوں کا جُھرمٹ تھا۔ یوں محسوس ہوتا تھا جیسے کاندھوں کا سٹریچر قوالی کی

14

تال پر چڑھ رہا ہے اور اس پر لیٹا ہوا شخص عالمِ حال میں ہے۔ نَے نواز نے مدھر آنکھوں سے سٹریچر دیکھا اور اپنی دُھن جاری رکھی۔ گٹار نواز نے اپنے ہاتھوں اور سَر کی جنبش برقرار رکھی تالیاں بھی رواں رہیں۔ مُندری والا نے دایاں ہاتھ اُٹھایا۔ انگوٹھے پر انگشتِ شہادت کی پور رکھ کر دائرہ بنایا اور ہلا ہلا کر موسیقاروں کو خموش داد دی۔

''کھانا لگ گیا ہے۔''

شینا کی آواز نے دروازے پر دستک دی۔ جمال منہ ہاتھ دھونے کے بعد باتھ روم کے آئینے میں اپنا شیو کیا ہوا چہرہ دیکھ رہا تھا۔ اس نے دروازہ کھولا اور اپنے پلنگ کے گرد نیم دائرہ بناتا ہوا ڈائننگ ٹیبل کی طرف بڑھنے لگا۔ اچانک اس کی نگاہ دیوار پر لگی ہوئی گھڑی پر رُکی۔ گھڑی اب بھی گیارہ بج کر سات منٹ دِکھا رہی تھی — شاید گھڑی خراب ہے یا اس کے سیل کمزور ہو گئے ہیں — اُس نے سوچا۔ باپ بیٹی اس کا انتظار کر رہے تھے۔ اس کی سانس تیز تھی۔ قدموں کی دھمک سے سینے میں چبھن جاگتی تھی۔ تینوں نے نیپکن کھول کر گود میں رکھے۔ مُندری والا نے کسی حاذق حکیم کی طرح اُسے تھوڑے سے شوربے میں بھیگے ہوئے اُبلے چاول کھانے کا مشورہ دیا۔ جمال اور شینا آمنے سامنے بیٹھے تھے جب کہ مُندری والا کھانے کی صدارت کر رہا تھا۔ جمال نے دیوار سے لگی ہوئی گھڑی کو پھر دیکھا اور کہا:

''شاید گھڑی خراب ہے۔''

جواب نہ پا کر جمال نے پوچھا:

''وقت کیا ہوگا؟''

باپ بیٹی اطمینان سے کھانا کھاتے رہے۔ کوئی جواب نہ دیا۔

''مجھے تو یہ بھی یاد نہیں کہ آج تاریخ کیا ہے۔'' جمال نے بھیگے گرم چاولوں کا چمچہ اُٹھاتے ہوئے کہا۔

''میرے کون و مکان! کھانا کھاؤ۔ دِن کا وقت ہے اور بہار کا موسم ہے۔''

مُندری والا بے ساختہ بولا۔

جمال کی نظریں سرخ شال کا زینہ چڑھ کر شینا کا چہرہ دیکھنے لگیں۔ وہ کوئی بیس بائیس سال کی معلوم ہوتی تھی۔ بیضوی چہرے پر نہایت پُر اثر بادامی آنکھیں تھیں۔ آنکھوں کا رنگ چمکتا اور کِھلتا ہوا براؤن تھا جو کمرے کے خاکستری سُرمئی ماحول میں نارنجی لگتا تھا۔ آنکھوں کی حرکت میں طرح داری اور بے نیازی تھی۔ اس کے جسم کی ہر حرکت میں سکون اور سکون میں حرکت تھی۔ وہ زمین کی طرح تھی جو گھومتی ہے اور پتا بھی نہیں چلتا۔ اس کے چہرے پر ایسا کوئی تاثر نہیں تھا جو جوان لڑکیوں پر اس وقت جھلکتا ہے جب وہ باپ کی موجودگی میں اجنبی شخص کے سامنے بیٹھ کر پہلا کھانا کھاتی ہیں۔ چہرے کی رنگت چمپئی تھی، شاید سرخ شال کی قربت کی وجہ سے۔ ہاتھوں کا رنگ دُودھیا تھا جو شال سے ذرا دُور تھے۔ اس کا جسم باپ کی طرح چھریرا تھا — اس کا باپ تو انتہائی بدشکل ہے۔ اس کی ماں یقیناً نہایت حسین اور دلکش ہوگی۔ عام شکل وصورت کی عورت کے بس کی بات نہیں کہ وہ اتنے گھناؤنے شخص کے تعاون سے اتنی حسین لڑکی پیدا کر سکے — جمال کی سوچتی ہوئی نظریں لڑکی کے باپ کی طرف اُٹھیں۔ مُندری والا جمال کو بڑے غور سے اپنی لڑکی کو دیکھتے ہوئے دیکھ رہا تھا۔

''میری ہی ہے۔''

مُندری والے نے کہا تو جمال کے پاؤں تلے سے زمین نکل گئی۔ اوسان بحال کرتے ہوئے تو اس کے منہ سے بے ساختہ نکلا:

''مم مم — میرا مطلب یہ نہیں تھا!!!''

''میرا مطلب وہی ہے جو میں نے کہا۔'' مُندری والا نے جمال کے چہرے سے اپنی نظریں ہٹاتے ہوئے کہا۔ جو ابھی تک سناٹے میں تھا۔ وہ خاموشی سے نظریں

جھکا کر انہماک سے کھانا کھانے لگا۔

''خودکشی کرنا چاہتے تھے دریا میں ڈوب کر؟ یہ کیا کہ سرد پانی میں ڈوبے اور مر گئے مقامِ خودکشی سے کئی میل دُور لاش برآمد ہوئی۔ یخ پانی میں جمی ہوئی، اکڑی ہوئی، تشنج زدہ، بدوضع لاش۔ جسے پوسٹ مارٹم سے پہلے پگھلانا پڑے اور بعد میں لاوارث سمجھ کر دفنانا پڑے۔ ایسا ہی ہوتا ہے وہاں دُنیا میں۔ تمہارے جیسے پڑھے لکھے دوآتشہ ڈاکٹر کو تو کارآمد موت مرنا چاہیے۔ یادگار اور سبق آموز موت۔ وہ موت جس میں طنطنہ ہو۔ سنسناتی اور پھڑپھڑاتی ہوئی موت۔ لرزتی اور تھرتھراتی ہوئی موت۔ رونگٹے کھڑے کرنے والی۔ لرزہ براندام کرنے والی۔ دھڑکتی ہوئی موت — جسے دیکھ کر زندگی شرما جائے۔''

مُندری والا نے کھٹاک سے سگریٹ کیس بند کیا اور اس پر باہر نکالے سگریٹ کے فلٹر کا ہتھوڑا مار کر تمبا کو ہموار کیا۔

شینا کافی بنا رہی تھی۔ اس کے چہرے کا رنگ کافی بناتے ہاتھوں کی طرح دُودھیا تھا — سرخ شال اس کی گردن میں لٹک رہی تھی۔

□□□

گھر کیا تھا ایک دُنیا تھی۔ جمال لیٹے لیٹے تھک جاتا تو پڑھنے لگتا۔ پڑھتے پڑھتے اُکتا جاتا تو گھر کے مختلف کمروں میں گھومنے لگتا۔ گھر تھا یا عجائب گھر۔ موٹی دیواروں اور اُونچی چھتوں والے کئی کمرے تھے۔ ہر کمرے کا الگ ماحول تھا۔ انوکھا رنگ ڈھنگ اور جداگانہ تیور۔ وہ زیادہ تر اس دومنزلہ گھر کی نچلی منزل میں گھومتا پھرتا اور دلچسپی سے ہر چیز دیکھتا رہتا۔

وہ ایک کمرے کا پُرانا بھاری دروازہ کھول کر اندر داخل ہوا۔ کہولت زدہ دروازے کے کراہنے کی آواز کچھ دیر جاری رہی۔ فرش کے پلستر پر بوسیدہ چٹائیاں بکھری ہوئی تھیں۔ کچھ کسی کچھ ڈھیلی چارپائیوں پر میلے تکیے اور چکٹ لحاف بے ترتیبی سے پڑے تھے اُدھڑے اور ڈھلکے ہوئے۔ کسی چنڈال چوکڑی کا نتیجہ یا شاید درندوں کے چنگال کا اثر۔ آتش دان کے ماتھے پر گزرے وقتوں کی کالک جمی ہوئی تھی۔ کمرے کی فضا میں بہت پہلے جلی ہوئی لکڑیوں کی مردہ مہک تھی۔ جیسے کمرے میں لکڑیوں کی بجائے ارتھیاں جلائی گئی ہوں۔

دوسرے کمرے میں دیوار تا دیوار دبیز ارغوانی قالین بچھا ہوا تھا۔ جس کی گرد

پر چلنے سے نقشِ پا کی لکیر بنتی تھی۔ دیواروں کے ساتھ مخملیں رنگ برنگ تکیے۔ ہر تکیے کے کانوں میں گول پھندنوں کے جھمکے۔ ایک بڑے تکیے کے پھندنوں کے نیچے سونے کے پیندے کٹوروں کی طرح مخملیں ریشوں کو سہارا دیتے تھے۔ کمرہ کیا تھا کسی متمول خانقاہ کے سجادہ نشین کی بیٹھک تھی، کسی خان خاناں کا حجرہ تھا۔

تیسرا کمرہ۔ اُجڑا ہوا چنڈو خانہ۔ چنڈو، تاڑی، چرس، بھنگ اور ٹھرا پی کر غل غپاڑا کرنے کے لیے نہایت موزوں۔ کچے فرش پر اُدھڑی چٹائیاں، انگیٹھیوں میں بجھے ہوئے کوئلوں کی راکھ۔ کوئی ڈیڑھ سو سال پُرانی طرز کی میز۔ ہلتے چُولوں والی کرسیاں۔ پلاسٹک کے میلے جگ اور گلاس۔ دیواروں پر پُرانے رسالوں، اخباروں اور کیلنڈروں سے تراشی ہوئی تصویریں مختلف زاویوں سے آویزاں۔ تصویروں میں اداکاراؤں کے نیم عریاں پوز، مختلف اعضاء میں جلتے سگریٹوں سے بنائے گئے سوراخ۔

چوتھا کمرہ۔ بالکل خالی۔ شطرنجی فرش کے سیاہ اور سفید چوکھٹوں کی خاموشی۔ نہایت چمک دار۔ جگر جگر کرتا فرش جیسے روز پالش کیا جاتا ہو۔

ڈرائنگ روم ایک بہت بڑا ہال تھا۔ نئی پُرانی طرز کے سولہ صوفہ سیٹ مختلف زاویوں سے کئی قالینوں پر رکھے ہوئے۔ ڈرائنگ روم نہ ہوا گویا فرنیچر کا ایک بڑا شوروم ہوا۔ جانوروں کی سینگ جڑی کھوپڑیاں دیواروں کے جسم سے نکلی ہوئی۔ کراس کی شکل میں دو تلواروں اور ایک ڈھال کے کئی نمونے۔ چھت پر فریسکو کی شکل کے نقش و نگار جن میں آتشی گلابی، نیلے اور سنہری رنگ کی بھرمار۔ چھوٹے بڑے سات فانوس۔ ایک دیوار پر سات فٹ لمبی اور پانچ فٹ چوڑی ٹیپسٹری جس کے قالینی نمدے میں پرانے زمانے کے کسی بارُعب شخص کی شبیہہ۔ بڑی بڑی آنکھوں والا شخص جس کی دائیں مٹھی پر عقاب پَر پھیلائے بیٹھا ہے اور بائیں ہاتھ کی انگشتِ شہادت آسمان کی طرف اِشارہ کر رہی ہے۔ ڈرائنگ روم کے صدر دروازے کے قریب دو پُرانے ماڈل کی کیڈلک گاڑیاں

جب کہ ایک جدید ماڈل کی بی ایم ڈبلیو اور مرسیڈیز گرد کی ہلکی تہہ میں خنک نظارہ دیتی تھیں۔ فرنیچر کا شورُوم اچانک کاروں کے شورُوم میں بدل گیا — پہاڑ کی اس چوٹی پر تو پیدل چلنا محال ہے، یہ کاریں کیسے آ گئیں — جمال نے سوچا۔ اُس نے صدر دروازہ کھولنے کی کوشش کی جو بہت بلند اور وزنی تھا۔ کُھلنا تو دُور کی بات وہ ہِلا تک نہیں۔ وہ اس گیٹ کی کھڑکی کھول کر باہر لان میں نکلا۔ ایک بہت بڑا اچاپر نما دو پنکھوں والا ہیلی کاپٹر ایک ہموار جگہ پر کھڑا تھا۔ ہیلی کاپٹر سویا ہوا معلوم ہوتا تھا جیسے ڈھور ڈنگر سارا دن چلنے کے بعد کھڑے کھڑے اُونگھنے لگتے ہیں۔

اُوپر والی منزل کے تمام کمرے ویران تھے۔ دونوں منزلوں کے آگے تین طرف کھلا برآمدہ تھا۔ عقب میں پہاڑی کا عمود تھا۔ لگتا تھا جیسے کسی بہت بڑی حویلی نے پہاڑی سے ٹیک لگا رکھی ہو۔ اُوپری منزل کی لہریا ٹین سے ڈھکی چھت ڈھلوان پر تھی جس پر قرمزی پینٹ تھا۔ برآمدوں کے آگے برابر فاصلے پر موٹے موٹے ستون تھے۔ گھر کے چہرے پر بڑے بڑے سُرمئی پتھروں کی سلیں جڑی ہوئی تھیں۔ زیریں برآمدے سے تین سیڑھیاں اُتریں تو وسیع و عریض لان تھا۔ گھر کے گرد کوئی دیوار نہیں تھی۔ گھر کا لان نیچے وادی میں اُتر کر دریا کی ترائی سے جا ملتا۔ مختلف رنگ و نسل کے لوگ بلا جھجک گھر کے اندر باہر آتے جاتے رہتے۔ یہ لوگ بہت کم بولتے تھے۔ ان لوگوں میں کوئی خاص بات تھی جو چونکاتی تھی۔ کبھی یہ لوگ پُراسرار لگتے، کبھی عام سے۔ کبھی خوف زدہ کر دیتے کبھی خوش کُن تاثر چھوڑتے۔ ان کی آواز میں ناقابلِ بیان رس تھا جو اُن تازہ پھلوں سے ٹپکتا ہے جن کی شاخوں پر بیٹھ کر پرندے چونچ سے پہلا چھید کرتے ہیں۔

اکثر لوگ اُسے اُچٹتی نظروں سے دیکھتے اور گزر جاتے۔ کچھ مختصر علیک سلیک کرتے۔

''گڈ مارننگ'' ایک سفید شخص نے دیوار کی طرف دیکھتے ہوئے اس سے کہا۔

''نی ہاؤ۔'' چھوٹی چھوٹی آنکھوں کے نیچے سے آواز آئی۔

''آداب عرض'' کسی نے پوروں سے اپنا ماتھا چھوا۔

''سنگا چلدے جی'' ایک شخص نے سر پر ٹوپی جماتے ہوئے کہا۔

''سلاواں لیکم'' سانولے شخص نے تہمد کا پلّو اُٹھا کر جھٹکا۔ جیسے دھوپ میں لہرائے اور چھاؤں میں چھپ گئے۔

جمال کو کبھی یہ جگہ پُرسکون لگتی۔ گاہے گاہے اسے شدید گھبراہٹ ہوتی۔ کبھی دِل اتنا پُرسکون۔ جیسے سینہ خالی ہے۔ کبھی پرندے کی طرح پھڑ پھڑانے لگتا گویا پسلیوں کا پنجرا توڑ کر اُڑ جائے گا۔ ایک بات بہر حال تھی کہ جمال کو عرصے سے کسی حویلی میں رہنے کی شدید خواہش تھی جو پوری ہوئی۔ کچھ فاصلے سے گھر کو دیکھیں تو محسوس ہوتا جیسے یہ پہاڑی کے ساتھ شست لگا کر وادی کو گھور رہا ہے۔ صبح کے وقت یہ گھر نہایت پُرکشش، سہ پہر کو سنجیدہ اور شام کو وحشت ناک لگتا تھا۔

''ست سری اکال'' لمبے بالوں والے ایک باریش شخص نے آواز لگائی۔

''نمستے۔'' ایک عورت کے ماتھے پر بندیا چمکی۔

□□□

جمال آڑے ترچھے ٹریک پر چلتا ہوا پہاڑ کی چوٹی کی طرف گامزن تھا۔ اب تو روزمرہ کا معمول تھا کہ وہ سہ پہر تین بجے پہاڑ پر چڑھتا اور شام ڈھلے اُترتا۔ یہ عادت اس نے شینا سے سیکھی تھی۔ مگر شینا کی رفتار بہت تیز تھی۔ جمال کا سانس راستے میں پھول جاتا۔ ٹریک دُشوار گزار تھا۔ بعض مقامات پر تو چڑھائی اتنی شدید ہو جاتی گویا وہ عموداً چڑھ رہا ہو۔ بادل گِھر کر آیا تھا۔ جب گڑگڑاہٹ کے ساتھ آسمان شور کرتا اور کوندا لپک کر راستے کے پتھر روشن کرتا تو اس کا سانس اور پھول جاتا۔

حویلی سے وہ اور شینا اکٹھا نکلتے۔ لان سے دوڑتے ہوئے وادی میں اُترتے۔ وادی میں کچھ دُور دریا کے ساتھ چلتے۔ جمال روز وہ منظر یاد کرتا جب اسی دریا میں اس نے خود کو چابی بھرے کھلونے کی طرح چھوڑ دیا تھا۔ ذرا چلنے کے بعد ٹریک آ جاتا اور چڑھائی شروع ہوتی۔ کچھ دیر وہ شینا کی رفتار سے چڑھتا، پھر وہ آگے نکل جاتی اور اس کی سرخ شال بیاڑ کے ہرے درختوں میں جلنے بجھنے لگتی اور پھر ایک نقطہ بن جاتی۔ جمال اسی بیر بہوٹی کے سہارے چڑھتا رہتا۔

گڑگڑاہٹ دھماکے کے ساتھ پھٹی۔ بیاڑ کے درخت گرتی بوندوں سے سرسرانے

لگے۔ تیز سرد ہوا، ان درختوں کی باریک چھلنیوں سے گزرتی تو تارتار ہوجاتی اور کانوں میں ہونکنے لگتی۔ جمال ایک اُونچے درخت کے نیچے بیٹھ کر وادی کو دیکھنے لگا۔ دریا کی لکیر اس کے بائیں طرف تھی۔ سامنے پہاڑی سے ٹیک لگائے وہی سنجیدہ حویلی تھی جس کی قرمزی چھت بارش سے دُھل کر چمک رہی تھی۔ سیاہی مائل درخت اس کی چمک مزید اُجاگر کررہے تھے۔ حویلی وادی کو گھور رہی تھی۔ دائیں جانب چھوٹی سی بستی تھی۔ چھوٹے، بڑے گھروں والی۔ اس کے علاوہ ہر جانب بکھرے ہوئے چھوٹے چھوٹے جھونپڑے تھے۔ دیودار کے درختوں سے بنی ہوئی کُٹیائیں اور کھپریل سے ڈھکے ہوئے پتھر کی سِلوں کے کمرے۔ کوئی گھر برستی ہوئی چار بوندوں سے بڑا نہیں تھا۔

جمال ایک پتھر سے ٹیک لگا کر نیم دراز ہوا تو مُندری والا کی حویلی اس کے جاگرز کے پیچھے چھپ گئی۔ اُس نے جُڑی ہوئی ایڑیوں پر پنجے مقراض کی طرح کھولے۔ اب حویلی جوتوں کی مقراض پر دھری تھی۔ اس نے پنجے جوڑے تو گھر چھپ گیا۔ وہ پنجوں کے بست وکشاد سے حویلی کے ساتھ دن رات کھیلتا رہا اور اپنی سوچ کا کاغذ جوتوں کی قینچی سے کاٹتا رہا۔ اسے یاد آیا کہ اس کے دادا نے ایک بار ایسی ہی حویلی کا ذکر کیا تھا۔

شہر میں وہ کرائے کا کمرہ ابھی تک بند ہوگا جس میں وہ مُدّت سے رہتا تھا۔ جمال نے سوچا۔ کمرے کا مالک دروازے پر لگا تالا دیکھ کر ماں بہن کی گالیاں دیتا ہوگا۔ کرایہ اس کی ضرورت جو ٹھہرا—— کیا وہ تالے کو گالیاں دیتا ہوگا یا مجھے؟ مگر میری تو کوئی ماں بہن نہیں ہے۔ کوئی باپ ہے نہ بھائی۔ کوئی آگے نہ پیچھے۔ تالے کی ماں بہن کون ہے؟ مجھ میں اور تالے میں کیا فرق ہے؟ دونوں کی چابی گم ہوگئی ہے۔ جب لیٹے لیٹے مجھے مُندری والا کے گھر میں ہوش آیا تو میں نے بیگانے کپڑے پہنے ہوئے تھے۔ میرے کپڑے کس نے بدلے ہوں گے؟ مُندری والا نے شاید۔ باتھ رُوم میں جو میرے گیلے کپڑے لٹک رہے تھے، ان کی جیبوں میں کمرے کی چابی نہیں تھی۔ کیا چابی دریا

میں گر گئی تھی؟ میرا خیال ہے کہ وہی چابی لگا کر میں نے خود کو کھلونا بنایا اور پھر دریا کی طرف چلا دیا تھا خود کو، پھر وہ چابی میرے جسم میں سرایت کر گئی۔ میری رگوں میں فولاد گردش کرتا ہے۔

بیر بہوٹی ترقی کرتے کرتے شال بن گئی اور جھونکے کی طرح اس کے قریب سے گزری۔ وہ سوچ کے پتھر سے ہڑ بڑا کر اُٹھا اور شینا کے پیچھے پہاڑ اُترنے لگا۔ ''اس جگہ کا کیا نام ہے؟'' اس نے شینا سے پوچھا۔

''کس جگہ کا؟''

''جہاں ہم رہتے ہیں۔''

''کوئی نام نہیں۔''

''یہ کیسے ہوسکتا ہے۔ ہر جگہ کا نام ہوتا ہے۔'' جمال نے حیرانی سے پوچھا۔

''بس کوئی نام نہیں۔'' شینا نے دُہرایا۔

''کیا تمہارا باپ یہاں کا سردار ہے؟''

''نہیں۔''

''تو اس بستی کا سردار کون ہے؟''

''کوئی بھی نہیں۔''

''یہ کیسے ہوسکتا ہے۔ ہر جگہ کا کوئی مالک ہوتا ہے۔ سربراہ ہوتا ہے۔'' جمال نے استفسار کیا۔

''یہ جگہ جغرافیائی لحاظ سے کہاں واقع ہے؟'' جمال کا تجسّس بڑھتا گیا۔

''تمہارا مطلب ہے طول بلد اور عرض بلد؟'' شینا نے پوچھا۔

''نہیں میرا مطلب ہے کہ یہ جگہ کس ملک میں ہے؟ کس صوبے میں ہے؟ کس ریاست میں ہے؟''

''کسی ریاست میں نہیں۔ کسی ملک میں نہیں۔'' شینا نے اطمینان سے کہا۔

ان کے سر کے اُوپر سے ایک ہیلی کاپٹر گڑ گڑاتا ہوا گزرا۔

''یہ کیسے ہوسکتا ہے۔ ہر جگہ کسی نہ کسی ملک میں تو ہر صورت ہوتی ہے۔ ہاں سرحدی تنازعات اپنی جگہ مگر یہ تو ممکن نہیں کہ کوئی جگہ کسی بھی ملک کی ملکیت نہ ہو۔'' جمال نے کہا۔

''بس یہ جگہ کسی ملک کی نہیں۔'' شینا نے بتایا۔

''تو کیا یہ نومینز لینڈ ہے؟''

''یس، یو کین سے دیٹ۔'' شینا نے خالص انگریزی لہجے میں کہا۔

شام ڈھل گئی تھی۔ دونوں شرابور گھر میں داخل ہوئے۔ خنکی بڑھ رہی تھی۔ جمال چاہتا تھا کہ وہ جلدی سے کمرے میں جا کر کپڑے بدلے۔ سیڑھیاں چڑھ کر جوں ہی اس نے برآمدے میں قدم رکھا تو ایک کمرے سے اسے مُندری والا کی اُونچی آواز سنائی دی۔ وہ کسی شخص سے تلخ لہجے میں بات کر رہا تھا۔ بہت دنوں بعد جمال نے اس گھر میں شور سنا تو اسے عجیب سا لگا۔ وہ آوازوں والے کمرے کی طرف بڑھنے لگا۔ دروازہ کھول کر اندر داخل ہوا۔ یہ وہی کمرہ تھا جس کا فرش شطرنج کی بساط جیسا تھا۔ اُس نے چراغ کی روشنی میں دیکھا کہ ایک اُدھیڑ عمر شخص مُندری والا کی ٹانگوں سے لپٹ کر گڑگڑا رہا ہے۔

''شاہ جی۔ مجھ پر رحم کرو۔ میں بڑی دُور سے آیا ہوں۔ مجھ پر جِن کا سایہ ہے۔ لوگوں نے مجھے وثوق سے بتایا تھا کہ دور کالی پہاڑی پر شاہ جی رہتے ہیں جن کے عمل سے تم ٹھیک ہو سکتے ہو۔ مجھ پر رحم کرو شاہ جی!''

''نہ تم پر جِن کا سایہ ہے۔ نہ میں سایہ اُتارتا ہوں اور نہ ہی میں شاہ جی ہوں۔'' مُندری والا اطمینان سے بولا۔ مگر سائل نے اپنے بازوؤں کا کلاوہ مُندری والا کی ٹانگوں

پر کسے رکھا۔ مُندری والا نے فرغل میں ہاتھ ڈال کر سگریٹ سلگایا اور اطمینان سے کش لگانے لگا۔ مگر وہ شخص مسلسل گُھٹنے ٹیکے، کانپتی آواز میں لجاجت بھری درخواست کرتا رہا۔ گاہے گاہے مُندری والا اسے بے بسی اور بیزاری سے دیکھتا پھر کش لگاتا۔ بالآخر اس نے اُدھیڑ عمر شخص کے سر پر ہاتھ رکھا اور بالوں سے پکڑ کر اسے اُوپر اُٹھایا۔

''آ میں تیرا سایہ اُتاروں۔ آ۔'' مُندری والا اسے شطرنجی فرش کے درمیان میں لے آیا۔ کونے میں ایک بانس پر لپٹے ہوئے کپڑے کو مُندری والا نے لائٹر دکھایا۔ تو مشعل جل اُٹھی۔ اُس نے بانس اُٹھایا۔ چھت سے لٹکتے ہوئے پانچ شینڈ لیئرز پر بڑے بڑے دیے دھرے تھے، مشعل سے وہ دیئے روشن کیے اور مشعل پاؤں کے نیچے مسل کر بجھا دی پھر کسی مداری کے سے انداز میں بہت بلند آواز میں چیخا:

''میرا نام ہے مُندری والا

ولد شاہِ والا

کون سے والا؟

بولو بولو! کون سے والا؟؟''

''جی شاہِ والا۔'' کمرے کے درمیان کھڑے شخص نے گھبرا کر چیختے ہوئے سوال کا کانپتا جواب دیا۔

''یہی والا — ہاں یہی والا۔ تمہارے سر پر سایہ ہے بچے! اور سایہ بھی بہت گہرا، ساون کی گھٹا جیسا۔ اماوس کی رات جیسا۔ یہاں نہ جوتش چلے گا نہ رمل۔ نہ ہندسہ چلے گا نہ جمل۔ نہ تعویذ چلے گا نہ گنڈا۔ یہاں چلے گا عمل۔ بلی کے بھاگوں چھینکا ٹوٹا۔ تم ٹھیک جگہ پر آئے ہو۔ میں تمہارا سایہ اُتاروں گا۔ تمہارے سائے کا ایک حصہ پاؤں سے کھینچ کر اُتار لوں گا۔ کچھ دِن اپنے پاس رکھوں گا۔ عمل کروں گا اور تمہیں واپس بھیج دوں گا۔ تمہارا سایہ جتنے دن تمہارے سائے کا کچھ حصہ میرے پاس رہے گا۔ تمہارا سایہ

ہلکا ہو گا۔ تم غور سے اپنے سائے کو دیکھنا، باقی لوگوں سے موازنہ نہ کرنا، تمہارا سایہ ذرا کم گہرا ہو گا۔ کیونکہ میں تمہارا کچھ سایہ کھول کر اپنے پاس رکھ لوں گا۔۔۔اب میں تمہارا سایہ کھولتا ہوں۔ جم کر کھڑے ہو جاؤ، اے ے ے ے یہاں پر۔ نہ لڑکھڑانا ہے، نہ ڈگمگانا ہے اور نہ ہی گرنا ہے۔"

مُندری والا نے گردن سے پکڑ کر اس شخص کو بساط کی ایک کالی ٹکیا پر کھڑا کر دیا۔ کئی سائے اس شخص کے پاؤں سے سُرمئی شعاعوں کی طرح پھوٹ کر شطرنج کی بساط پر لرز رہے تھے۔

"کانپنا بند کرو۔ تمہارا سایہ ٹوٹ کر کئی حصوں میں بٹ چکا ہے۔ سائے کا ایک حصہ میں اُٹھا لوں گا۔ باقی پھر میں جانوں اور میرا عمل۔"

یہ کہہ کر مُندری والا ایک سائے پر جُھکا۔ کانپتا شخص رعشہ روکنے کی کوشش میں بے بسی کی تصویر بنا ہوا تھا۔ اس کی ٹھوڑی کے نیچے لٹکا ہوا ماس تھرتھرا رہا تھا۔ مُندری والا نے ایک سایہ لپیٹنا شروع کیا۔ گویا وہ سایہ نہیں بلکہ سُرمئی رنگ کی مہین ململ کا بچھا ہوا ٹکڑا تھا۔ سائے کا یہ ٹکڑا اس شخص کے بائیں پاؤں سے نکل کر پیچھے کی طرف جاتا تھا۔ وہ شخص بے ساختہ گردن موڑ کر اپنا سایہ لپٹتے ہوئے دیکھ رہا تھا۔ مُندری والا نے سایہ لپیٹ کر مُٹھی میں دبایا۔ جیب سے ماچس کی ڈبیا نکالی۔ سایہ اس میں بند کیا اور اپنے فرغل کی ترچھی جیب میں ڈالا۔

"اب جاؤ تم ٹھیک ہو جاؤ گے۔ جس دِن تم نے اپنے معالج کا نام پتا کسی کو بتایا تو پھر بیمار ہو جاؤ گے۔"

اُدھیڑ عمر شخص کا چہرہ کُشادہ مسکراہٹ میں کھنچ گیا۔ لگتا تھا کہ اس کی بتیسی اُچھل کر باہر گر پڑے گی۔ اس نے ہاتھ کوٹ کی جیب میں ڈالا۔ نوٹوں کی ایک گڈی نکالی۔ دو ہتھیلیوں پر رکھی اور دو زانو ہو کر مُندری والا کو پیش کی۔

''ماں کے گھسیارے! یہ کیا مذاق ہے؟'' مُندری والا نے گڈی اس کے منہ پر مارتے ہوئے کہا۔

''اوہو۔ مم معافی چاہتا ہوں شاہ جی! معافی چاہتا ہوں۔'' اس شخص کا ہاتھ کوٹ کی دوسری جیب پر پھڑ پھڑایا۔ برق رفتاری سے اس نے دوسری گڈی نکالی۔ پہلی گڈی شطرنجی چوکھٹے سے اُٹھائی۔ دونوں مُندری والا کے قدموں میں رکھیں۔ گھگیا کر مُندری والا کی ٹانگوں سے لپٹ کر بولا۔

''اگر آپ یہ قبول نہیں کرو گے تو میں اپنے آپ کو کبھی معاف نہیں کر پاؤں گا۔'' اپنی ٹانگوں کے گرد بازوؤں کا کلاوہ دیکھ کر مُندری والا پھر سگریٹ پینے لگا۔

''بہت امیر ہو تم۔ ہاں؟ وہ تو تم ہو۔ جب ہی تو ہیلی کاپٹر پر آئے ہو۔ ٹھیک ہے جاؤ۔''

مُندری والا نے نوٹ اُٹھائے۔ دروازے سے باہر نکلتے ہوئے اس نے جمال پر ایک اچٹتی سی نظر ڈالی۔ پیچھے پیچھے وہ شخص کسی وفادار درباری کی طرح اُلٹے سیدھے قدم اُٹھاتا ہوا باہر آیا۔ اندھیرے سے ایک باوردی شخص آگے بڑھا۔ مخصوص پیشہ ورانہ انداز میں سر اور گردن کو جھٹک کر علیک سلیک کی۔ بوٹوں کی ایڑیوں کو کھٹاک سے ٹکرا کر اُدھیڑ عمر شخص کو سیلوٹ کیا۔ جب مُندری والا اور جمال کمرے میں داخل ہوئے تو باہر ہیلی کاپٹر کے سٹارٹ ہونے کی آواز آئی۔ جمال نے بہت دنوں بعد باہر کے لوگوں کو دیکھا تو وہ اسے عجیب سے لگے۔ اُدھیڑ عمر شخص اور باوردی ملازم۔ دونوں ہی۔ ان دونوں کی باڈی لینگویج بہت اجنبی سی تھی۔ جمال کو یوں لگا جیسے وہ کسی پس ماندہ ملک کا دیہاتی ہے اور اچانک کسی امیر غیر ملکی لوگوں کو دیکھ رہا ہے۔ یا جیسے وہ مشہور فلمی اداکاروں کے سامنے کھڑا ہے۔ وہ حیران تھا کہ دونوں اسے اتنے مختلف اور اوپرے کیوں لگے۔

کمرے میں آتش دان جل رہا تھا۔ میز پر چراغ کی لو تھرتھرا رہی تھی۔ کھانا کھانے سے پہلے جمال نے کپڑے بدل لیے تھے۔ صوفے پر وہ تینوں بیٹھے ہوئے تھے۔ چراغ کے ایک طرف کھوپڑی نما ایش ٹرے اور دوسری طرف نوٹوں کی دو گڈیاں تھیں۔ جمال یہ دیکھ کر حیران رہ گیا کہ وہ پانچ پانچ ہزار کے نوٹ تھے۔ اس کا خیال تھا کہ یہی کوئی پچاس ہزار یا لاکھ روپے کا نذرانہ ہوگا مگر دس لاکھ! یعنی پندرہ بیس منٹ کے ڈرامے کا معاوضہ دس لاکھ روپے؟ جمال نے گھبرا کر سگریٹ نکالا۔ مُندری والا سے ماچس مانگی۔ اس نے فرغل کی ترچھی جیب سے ماچس نکالی تو سُرمئی ململ کا کونہ اُچھل کر باہر آ گیا۔ مُندری والا نے ململ کا سانپ ماچس کی پٹاری میں بند کیا اور دوسری جیب سے لائٹر نکال کر جمال کو تھمایا۔ جمال نے سگریٹ کا دھواں فرغل کی جیب کی طرف چھوڑتے ہوئے کہا:

''مُندری والا۔ تم خوف کی دُکانداری کرتے ہو۔''

مُندری والا نے اطمینان سے نوٹوں کی گڈیاں اُٹھائیں۔ جا کر آتش دان میں پھینک دیں۔ دوبارہ صوفے پر بیٹھے ہوئے بولا:

''پھر سے کہو۔''

جمال کی حیرت بھری آنکھیں آتش دان پر جمی ہوئی تھیں۔ جہاں گہرا دھواں گھوم گھوم کر چمنی کی طرف اُٹھا رہا تھا۔ جمال نے اتنا روپیہ کبھی یکجا نہیں دیکھا تھا اور اب وہ اسے جلتے ہوئے دیکھ رہا تھا۔ نیلی اور گلابی آگ کے بے ہنگم شعلوں میں۔ دھوئیں کے طوفان میں۔ لکڑیوں کی چیخ میں۔ کوئلوں کے احتجاج میں۔ جمال نے تلملا کر نظریں شینا کے چہرے پر اُتاریں کہ شاید کوئی سہارا مل سکے۔ مگر وہ اطمینان سے ٹانگ پر ٹانگ رکھ کر اپنا دایاں پاؤں ہلا رہی تھی۔

''سب خوف کی دکانداری ہے بھائی صاحب! سب خوف کی دکانداری ہے۔

ہر شخص نے ذہن کی الماری میں تہ در تہ خوف سجا رکھے ہیں۔ سب اسی جنس کا کاروبار کرتے ہیں۔ خوف کے تاجر ہیں۔ سب اسی پیداوار کے خریدار ہیں۔ لوگ خوف کے سہارے زندگی گزار دیتے ہیں۔ کتنے لوگ ہیں جو مذہب کو ایک رومانوی نظریہ سمجھ کر اپناتے ہیں۔ موت کے خوف سے اپناتے ہیں بھائی جی۔ ان کے مذہب سے موت نکال دی جائے تو ان کا مذہب اپنی موت آپ مر جاتا ہے۔ خوف کا پہیہ چلتا ہے۔ کارخانوں اور سڑکوں پر۔ خوف کا پرندہ ہوا میں اُڑتا ہے جس پر بیٹھ کر اس وقت وہ شخص واپس جا رہا ہے جس کا سایہ میری جیب میں ہے۔''

مُندری والا نے جمال کو اتنی شدت سے دیکھا کہ اس کا بھینگا پن غائب ہو گیا۔ پھر اس نے سگریٹ سلگایا۔ دھوئیں کے تین مرغولے اور ایک پچکاری چھوڑی۔ جمال گھبرا کے کمرے سے باہر نکل آیا اور لان میں ٹہلنے لگا۔ اس نے چمنی کی طرف دیکھا۔ نوٹوں کا دھواں اب ہلکا ہو گیا تھا مگر گھومتا تھا۔ چمنی کے بائیں جانب آدھا چاند چمکتا تھا۔ وہ شطرنجی کمرے کی طرف بڑھا۔ ایک شخص اس کا بھاری دروازہ بند کر رہا تھا۔

''کمرے میں چراغ جل رہے ہیں۔ انھیں تو بجھا دو پہلے۔'' جمال نے اس شخص کو مشورہ دیا۔

''دروازہ بند کر دیں تو چراغ خود ہی بجھ جاتے ہیں۔'' جاتے ہوئے شخص نے کاندھے پر چادر درست کرتے ہوئے کہا۔

جمال لان میں ٹہلتے ہوئے سوچنے لگا۔ یہ کون سی جگہ ہے۔ وہ یہاں کیوں آیا ہے۔ یہ کون لوگ ہیں جو یہاں رہتے ہیں۔ بہت کم بولتے ہیں۔ بہت شانت اور پُرسکون ہیں۔ اُجلے اُجلے سے لگتے ہیں۔ کسی بات پر حیران نہیں ہوتے۔ اِدھر اُدھر گھومتے پھرتے رہتے ہیں۔ یہ حویلی مُندری والا کے آباء نے کب بنائی ہوگی۔ کیا مُندری والا بہت امیر شخص ہے۔ مُندری والا کبھی صوفی تو کبھی شیطان لگتا ہے۔ حقیقت میں وہ کیا ہے۔ یہ جگہ

نومینز لینڈ کیسے ہوسکتی ہے۔ اب تو سیٹلائٹ سے دُنیا کا چپہ چپہ نظر آتا ہے۔ اکیسویں صدی ہے قبلِ مسیح کا دور تو ہے نہیں یہ۔ میں جو جی چاہتا ہے کھاتا ہوں، پہنتا ہوں۔ جہاں جی چاہتا ہے سوتا ہوں۔ کیا یہ لوگ مجھ سے معاوضے کا تقاضا کریں گے۔ آفٹر آل دیئر از نو فری لنچ۔ اگر کریں گے تو کیا میں ادا کرسکوں گا۔ یہ مجھے جانے کے لیے کیوں نہیں کہتے۔ اگر یہ کہیں کہ چلے جاؤ تو میں کیسے جاؤں گا۔ آبادی یہاں سے کتنی دُور ہے۔ کبھی میرا دِل پُرسکون اور کبھی گھبرانے کیوں لگتا ہے۔ کیا یہ کوئی فرقہ ہے جو یہاں رہتا ہے۔ کیا یہ قدرت کے چنیدہ لوگ ہیں یا سماج کے ٹھکرائے ہوئے بے سہارا انسان۔ کہیں اشتہاری مجرم تو نہیں ہیں۔ ان کے جو جی میں آتا ہے کرتے ہیں۔ کھیتوں میں ایک دوسرے کے قریب بیٹھ کر رفع حاجت کرتے ہیں۔ پگڈنڈیوں پر جنسی اختلاط کرتے ہیں۔ دریا میں ننگے نہاتے ہیں۔ پرندے ان کے سر اور کاندھوں پر آ کر بیٹھ جاتے ہیں۔ جانور انھیں دیکھ کر بھاگتے نہیں۔ یہ کون سی مخلوق ہے۔ مُندری والا اور شینا کئی دن کے لیے کہیں چلے جاتے ہیں پھر آ جاتے ہیں۔ یہ کہاں جاتے ہیں۔ نہ بجلی ہے نہ گیس۔ نہ فون ہے نہ ریڈیو۔ ٹی وی تو دُور کی بات ہے۔ کوئی سڑک نہیں۔ کتنے ہوں گے یہ لوگ۔ سینکڑوں ہیں۔ ایک گھڑی ہے جو گیارہ بج کر سات منٹ دکھاتی رہتی ہے۔ کسی کا کوئی نام نہیں۔ شینا کا نام پتا نہیں کس نے رکھا ہے۔ مجھے کب تک یہاں رہنا چاہیے۔ کیا شطرنجی کمرے کے چراغ بجھ گئے ہوں گے۔ وہ برآمدے میں چلتا ہوا اس کمرے تک گیا۔ بھاری دروازہ کھولا۔ گھپ اندھیرا تھا۔

وہ اپنے کمرے کی طرف چل دیا۔ مُندری والا اور شینا جا چکے تھے۔ کہاں چلے جاتے ہیں یہ دونوں۔ جب جی چاہتا چلے جاتے ہیں۔ اچانک آ جاتے ہیں۔ آتش دان کی آگ ٹھنڈی ہو رہی تھی۔ نوٹ جلنے کی وجہ سے آگ میں عجب سی بے ترتیبی تھی۔ کجلائی ہوئی آگ کے اُوپر جا بجا جلے ہوئے نوٹوں کی سیاہ راکھ تھی جو دھبوں کی طرح

دکھائی دیتی تھی۔ جمال اب اندھیرے میں چل سکتا تھا۔ روانی سے چلتا ہوا بستر تک گیا۔ لیٹے ہوئے کچھ دیر آتش دان کو دیکھتا رہا۔ کیا تقدیر مجھے یہاں لے آئی ہے؟ مجھے کب تک یہاں رہنا چاہیے یہ کون سی جگہ ہے۔ یہ کون لوگ ہیں؟

◻◻◻

موسم بہت خوش گوار تھا۔ پہاڑی دوپہر نرم دھوپ میں پھول رہی تھی۔ خوشی کا احساس جمال کے اندر سے پھوٹ رہا تھا۔ کیا یہ خوشی اندرونی ہے یا موسم کی عطا ہے؟ وہ حسبِ معمول سوچنے لگا۔ وہ ہر بات کا تجزیہ کرنے کی کوشش کرتا تھا۔ قدیم یونانی فلسفیوں کی طرح — میرا خیال ہے کہ یہ میرے اندر کی خوشی ہے جسے بیرونی محرکات مہمیز کر رہے ہیں۔ موسم مجھ میں پھوٹتی خوشی کی آبیاری کر رہا ہے — اتنے میں مُندری والا اور شینا آ کر لان میں اس کے قریب بیٹھ گئے۔ چمکتی گھاس پر۔

برٹرینڈ رسل اپنی ایک کتاب میں خوشی کے بارے میں تفصیلاً لکھتا ہے۔ اس کتاب کا نام ہے ''خوشی کی تسخیر۔'' کہتا ہے ''رنج داخلی ہوتا ہے اور خارجی بھی یعنی رنج و ملال اور ناخوشی کسی حد تک معاشرتی نظام کی پیداوار ہیں اور کچھ انفرادی نفسیات کی۔ کہتا ہے کہ خوش رہنے کے لیے میں نے دھیرے دھیرے سیکھا کہ اپنی ذات اور محرومیوں سے بیگانہ ہو جانا ضروری ہے۔ چنانچہ میں نے بیرونی اشیاء کو اپنی توجہ کا مرکز بنایا۔ بیرونی دلچسپی کوفت سے بچاؤ کا ذریعہ ہے۔ رسل کی تحریروں میں زندگی کے اسرار و رموز بہت بے ساختہ انداز میں چاک ہوتے ہیں اور زندگی کی اصل حقیقت سامنے آتی ہے۔ اب

خوشی اور ناخوشی کا تجزیہ ہی لے لیجیے—"

"کیا مطلب؟؟"

جمال کے بھاشن پر مُندری والا نے وار کیا۔

"اس ساری گفتگو میں رسل نے کون سی ایسی بات کی ہے۔ جس کا تمہیں، شینا کو اور مجھے پہلے سے علم نہیں تھا اور پھر اس ساری گفتگو کا مقصد کیا ہے؟"

مُندری والا کی تہدید سے جمال سناٹے میں آ گیا اور سوچنے لگا کہ کالج میں طلبا اور طالبات کو پڑھاتے ہوئے جب وہ اس طرح کی گفتگو روانی سے کرتا تو سماں بندھ جاتا۔ طلباء آنکھیں جھپکنا بھول جاتے اور طالبات سانس لینا۔ لیکچر کے بعد خاص طور پر لڑکیاں اس کے دفتر میں آ کر ستائش کے پھول نچھاور کرتیں۔

"سر! سنا ہے آپ کی ذاتی لائبریری میں بہت سی نادر کتابیں ہیں۔ آپ شام کو مصروف تو نہیں ہوتے؟ اگر میں کچھ دیر کے لیے آپ کی لائبریری— سر! ویک اینڈ پر اگر آپ کچھ وقت نکالیں تو میں اپنی کچھ ادبی اُلجھنیں دُور کرنا چاہتی ہوں۔"

مگر ذرا ان کالی پہاڑی کے باسیوں کو دیکھو۔ کسی بات پر حیران نہیں ہوتے۔ کچھ بھی کہہ دو۔ بس ٹھہری ہوئی آنکھوں سے دیکھتے رہتے ہیں۔ بات کرتے ہیں تو ایسی کاٹ دار کہ گفتگو کی دھجیاں بکھر جاتی ہیں۔ میرے علم و دانش سے متاثر ہو کر ایک بار ایک بہت بڑا افسر میرے دفتر میں آیا۔

"سر! آئی وانا ٹاک ٹو یو۔ اگر آپ کے پاس وقت ہے تو۔"

"جی کہیے۔"

"میں وزیراعظم کا سٹاف افسر ہوں۔ آپ کے علم اور تخلیقی صلاحیتوں سے متاثر ہو کر آپ کو وزیراعظم کے سکرپٹ رائٹر کا عہدہ دینے کا فیصلہ ہوا ہے۔ دو سال کا کنٹریکٹ ہے۔ گاڑی اور گھر کے علاوہ مزید مراعات بھی ہیں۔ اچھا پیکج ہے۔ کل صبح

34

تشریف لے آئیے۔ پی ایم سیکریٹریٹ میں۔"

"مجھے کیا کرنا ہوگا؟"

"وزیراعظم کی تقریریں لکھنا ہوں گی بس۔"

"سیاسی تقریریں؟"

"یہ بھی ممکن ہے۔ مگر آپ کا اصل کام ہارڈ کور، فارمل تقاریر لکھنا ہوگا۔ وزیراعظم کا قوم سے خطاب، قومی نشریاتی رابطے پر۔"

"معاف کیجیے۔ میں اس کام کا اہل نہیں۔ میں تو نوجوانوں کو تعلیم دیتا ہوں۔ اپنا علم انھیں منتقل کرتا ہوں۔ اسی میں خوشی ہے۔ اکیلا ہوں۔ مراعات لے کر کیا کروں گا۔ میرا آدرش پراگندہ ہوجائے گا۔ ویسے بھی وزیراعظم کو تقریر خود لکھنی چاہیے۔ یہ کیا ہوا کہ لکھے کوئی بولے کوئی۔ تقریر نہ ہوئی فلمی گانا ہوگیا۔ ایک شخص گاتا ہے۔ دوسرا ہونٹ ہلاتا ہے۔ پلے بیک سنگنگ آئی مین۔"

"اووو کے۔" سٹاف افسر نے اُٹھتے ہوئے اپنی ٹائی درست کی۔

اور اس بدشکل مُندری والا کو دیکھو۔ کہتا ہے رسل نے کون سی نئی بات کی ہے۔ چلو اگر نہ بھی کی ہو تو ایک بڑے لکھاری کی بات یوں ہی احتراماً سن لینی چاہیے۔ میں نے تو ابھی بات شروع کی تھی۔ اصل باتیں تو ابھی باقی تھیں۔ یہ مُندری والا آخر چیز کیا ہے؟ قلندر ہے یا جوگی۔ راہب ہے یا مجرد۔ تیاگی ہے یا تپسوی۔ مُرتاض ہے یا ریاضت کش۔ شاید تارک الدنیا ہے۔ کوئی بنجارہ ہے یا بیراگی ہے شاید۔

اور اس کے پہلو میں بیٹھی ہوئی حسینہ کو ذرا دیکھو جیسا باپ ویسی بیٹی۔ مجال ہے کسی بات پر ردِّعمل کا اظہار کرے۔ بس ٹکر ٹکر خلا کو گھورتی رہتی ہے جیسے آسمان سے اُتری ہو— "اُتری تو خیر آسمان ہی سے ہے—" جمال کے بہت اندر سے آواز آئی۔

"چہرے کی طرح تمہاری سوچ بھی کتابی ہے۔" مُندری والا نے گھاس پر

35

اطمینان سے لیٹتے ہوئے دوسرا وار کیا۔

جمال کا دِل چاہا کہ وہ کھڑے ہو کر مُندری والا کے پہلو میں پوری طاقت کے ساتھ بائیں پاؤں کا وار کرے جیسے فٹ بال کا گول کیپر دوڑ لگا کر گیند کو ٹھوکر کے زور پر آسمان کی طرف اُٹھاتا ہے۔ یا اپنا بایاں ہاتھ گھما کر اس کی مہر مُندری والا کے گال پر ثبت کرے۔

''تم لیفٹ ہینڈڈ ہو۔''

مُندری والا نے سر کے نیچے بازوؤں کا تکیہ بناتے ہوئے کہا تو جمال کے ہاتھ پاؤں پھول گئے۔ بیاڑ کے درخت میں ہوا سیٹیاں بجانے لگی جس کے نیچے وہ بیٹھے ہوئے تھے— اِسے کیسے معلوم ہوا کہ میں بائیں ہاتھ سے کام کرتا ہوں۔ کیا یہ اتنا گُنی ہے کہ میرے متعلق بہت کچھ جانتا ہے یا شاید سب کچھ۔ پھر تو اسے یہ بھی معلوم ہوگا کہ میرے حشفے پر مسا ہے اور بائیں چوتڑ پر بڑا سیاہ تِل—

''ماں کا گھسیارا۔''

جمال نے مُندری والا کو اسی کی مخصوص گالی دی۔ پھر سنبھل کر صورتِ حال کا تجزیہ کرنے لگا— مجھے ان کے پاس رہتے ہوئے بہت دِن ہو گئے ہیں۔ ایسے میں دوسروں کی عادات اور خصوصیات کا علم ہو جاتا ہے۔ حرکات وسکنات سے بھی کئی باتوں کا اندازہ ہو جاتا ہے۔ میں واقعی زیادہ کام بائیں ہاتھ سے کرتا ہوں۔ مثلاً بائیں ہاتھ سے لکھتا ہوں۔ شیو کرتا ہوں، کھیلتا ہوں۔ مگر کھانا دائیں ہاتھ سے کھاتا ہوں۔ عین ممکن ہے اس نے مجھے اس وقت دیکھا ہو جب میں نے بے دھیانی میں لان سے پتھر اُٹھایا ہو اور بایاں ہاتھ گھما کر پتھر وادی میں پھینکا ہو۔ مجھے یہاں آئے بہت دن ہوئے۔ موسمِ بہار کے سرد دن تھے اب قدرے گرم ہو رہے ہیں۔ اس نے مجھے بائیں ہاتھ سے لکھتے ہوئے بہرحال نہیں دیکھا کیونکہ یہاں کوئی کاغذ قلم ہی نہیں۔ ہاں اس بات کا اِمکان ہے

کہ اس نے مجھے شیو کرتے ہوئے دیکھا ہو مگر اس نے یہ بات اچانک کیوں کی۔ دفع کرو، اس شخص سے کسی بھی بات اور حرکت کی توقع کی جا سکتی ہے۔ ہوتے ہیں ایسے لوگ، ہوتے ہیں۔ حیرت ناک باتیں کرنے والے۔ بات چیت غچّہ دینے والے۔ پُراسرار اِنکشافات کرنے والے۔ پیشن گوئیاں کرنے والے۔ ذرا اس کا چہرہ مہرہ دیکھو۔ جیسا کہ شکل میں دکھایا گیا ہے یہ شخص کوئی بھی سرپرائز دینے کا اہل ہے۔

''رسل نے جو کہا سو کہا۔ تم کیا کہتے ہو؟ کیا ساری عمر کتابیں ہی پڑھتے رہو گے؟ تم عمر کے جس حصے میں ہو اس میں انسان عقل داڑھ سے سوچنا شروع کر دیتا ہے۔ پرائے لفظوں کی جگالی کرنے سے دانش کا دودھ گاڑھا نہیں ہوتا۔ اپنی بات کرو کوئی۔ کیا تم نے اپنی کوئی بات کی ہے کبھی؟''

مُندری والا نے پوچھا تو جمال سوچ میں پڑ گیا — ٹھیک کہتا ہے یہ بھینگا۔ شاید میں آج تک مشہور لوگوں کا نمائندہ اور دلال رہا ہوں یا گزرے ہوئے لکھاریوں کا ترجمان۔ شاید میں آج تک چمکیلے لفظوں کا پانسہ پھینکتا رہا ہوں۔ کیا میں کرائے کا جواری ہوں جو لوگوں کی دولت سے جوا کھیلتا ہے؟ ضروری نہیں کہ اس بدنما شخص کی ہر بات درست ہو۔ دُنیا میں بڑے بڑے لوگ آئے۔ انھوں نے شاندار باتیں کیں۔ ان کی باتیں دُہرانے اور ان کے مطابق زندگی بسر کرنے میں آخر حرج ہی کیا ہے! کیا یہ لازم ہے کہ ہر شخص عقل مند ہو جائے اور اپنے تئیں نئی بات کرے۔ محترم بات کرے — سوچتے ہوئے جمال کی زبان گھنٹی کی دھاتی شاخ کی طرح بتیسی کا پیتل بجا رہی تھی۔ زبان کی نوک نے بل کھایا اور عقل داڑھ کے ساتھ لگ کر ٹھہر گئی۔ مُندری والا گھاس پر گہری نیند سویا ہوا تھا۔ شینا آسمان دیکھ رہی تھی — شاید میں اس کالی پہاڑی پر ان لرن کروں گا۔ پڑھے ہوئے سبق بھول جاؤں گا۔ کتابیں فراموش کر دوں گا۔ اپنی باتوں سے مقناطیسی گفتگو کی کینچلی اُتار دوں گا۔ کیا میں خام لوہا تھا جو بڑے مقناطیسوں کی رگڑ

سے آہن ربا ہوا، چمبک بنا۔ میں نے ایک عمر لائبریریوں میں گزار دی۔ لفظوں سے دانش کشید کرتے کرتے۔ آج تک کوئی مجھے لفظ کی مار نہیں دے سکا۔ میدان ہمیشہ میں نے جیتا ہے۔ دانشور زِچ ہوئے ہیں میرے بیان سے۔ فصیح لوگوں کی ٹولیاں میری گفتگو کے طوفان میں خس و خاشاک کی طرح بہہ گئیں۔ بڑے بڑے سیاست دان لاکھوں کا جلسہ مبہوت کرنے کے لیے مجھ سے درخواست کیا کرتے تھے کہ میں خطاب کروں تو کیا وہ سب ڈرامہ تھا۔ اداکاری تھی؟ اِدھر یہ مُندری والا ہے، ازغیبیا! دُنیا کو ازار میں ڈال کر پہنتا ہے۔ اوّل تو کئی کئی دِن بولتا ہی نہیں۔ اگر بولتا ہے تو چھپر ٹوٹ پڑتا ہے۔ پاؤں تلے سے زمین نکل جاتی ہے۔ ماں کا دِینا— نطفہ بے تحقیق، بھین کا پھوڑا۔

مُندری والا کے دونوں پیروں کے درمیان سُرمئی حرکت ہوئی۔ ایک توانا سانپ اس کے بائیں ٹخنے سے گزر کر گھاس میں لہرانے لگا۔ جمال اُچھل کر کھڑا ہوا۔ سانپ کی رگڑ سے مُندری والا کی نیند اُتھلی ہوئی اس نے نیند میں انگڑائی لے کر کروٹ بدلی تو سانپ کا بِل اس کے پیروں کے قریب نمایاں ہوا۔ شینا مزے سے بیٹھی گھاس میں بنی اس لکیر کو دیکھ رہی تھی جو سانپ کی گزرگاہ تھی۔ پھر اس نے بوکھلائے ہوئے جمال کو دیکھا جس کا چہرہ زرد تھا۔

عجب بے خوف لوگ ہیں— جمال نے سوچا— کسی بات سے حیران نہیں ہوتے۔ یہ کس دُنیا کی مخلوق ہے۔ پہاڑوں پر، وادیوں میں اور دریا کے کنارے اطمینان سے گھومتے پھرتے رہتے ہیں۔ کوئی کام نہ کاج۔ فارغ البال۔ کبھی کبھار باتیں کرتے ہیں۔ مختصر سی۔ مگر سب کے چہرے مطمئن ہیں اور آنکھیں روشن۔ چال میں ایک وقار اور بہاؤ ہے، پانی کے جانوروں کی طرح۔ میں یہاں کیا کر رہا ہوں؟ کئی بار اسے شدید اُلجھن ہوتی اور سینے میں اس کا دِل برف کی ڈلی کی طرح پگھلنے لگتا۔

38

''ہم کالی پہاڑی پر چھٹیاں گزار رہے ہیں۔''شینا نے پہاڑ کے ٹریک پر تیزی سے چلتے ہوئے کہا۔

''چھٹیاں؟ تعطیلات۔یعنی ویکشنز۔'' جمال نے پوچھا۔

''ہاں۔''

''گرمی کی چھٹیاں؟'' جمال نے کریدا۔

''بس — چھٹیاں۔''

''یہاں کے سب لوگ چھٹیوں پر ہیں؟''

''ہاں۔''

''کس سے چھٹیاں لیں؟''

''دُنیا سے۔''

''کتنی؟''

''بہت سی۔''

''پھر بھی کتنی۔ڈھائی ماہ؟''

''نہیں۔پتا نہیں۔''

''تم لوگ کب سے یہاں ہو؟''

''بہت دنوں سے۔''

''کئی سال سے؟''

''بس بہت دنوں سے۔''

''تم لوگ دُنیا میں کیوں نہیں رہتے، سب لوگوں کے ساتھ؟ کسی ا
میں، قصبے میں، گاؤں میں۔''

''وہاں بُو آتی ہے۔''

''ہاں یہ بات تو ہے۔ آلودگی اس قدر بڑھ گئی ہے کہ فضا مکدر ہے اور پانی گدلا۔ مگر دیہاتوں میں تو یہ مسئلہ نہیں ہے۔ وہاں تو بُو نہیں آتی۔'' جمال نے بات بڑھائی۔

''وہاں بھی آتی ہے۔''

''نہیں یہ بات قطعی طور پر غلط ہے۔ وہاں نہیں آتی''

''آتی ہے۔'' شینا نے سرخ شال شانے پر درست کرتے ہوئے کہا۔ جمال چڑھتے چڑھتے رُک گیا اور شینا کی بات پر غور کرنے لگا۔ کالی پہاڑی پر صرف شینا ہی اس سے باتیں کرتی تھی اور بعض اوقات یہاں کے لوگوں سے مختلف محسوس ہوتی تھی۔ دُنیا میں رہنے والے لوگوں جیسی کچھ عادتیں اس میں تھیں۔

جمال پہاڑ چڑھ رہا تھا۔ روز بروز اس کی رفتار اور قوتِ برداشت بڑھتی جا رہی تھی۔ آج اس کا ارادہ چوٹی سر کرنے کا تھا۔ شینا اور اس کے درمیان کافی فاصلہ تھا۔ اس کا سانس پھولنے لگا۔ ٹریک بائیں طرف گھوما تو وہ موڑ پر کھڑے ہو کر نیچے دیکھنے لگا جہاں سے ٹریک شروع ہوتا تھا۔ اس جگہ ایک کُٹیا تھی۔ جس کی پتھریلی چمنی سے دھواں اُٹھ رہا تھا۔ ٹریک پر چڑھنے سے پہلے ایک بار اس نے اس کُٹیا میں جھانک کر دیکھا تھا۔ ایک اُدھیڑ عمر شخص چٹائی پر مزے سے بیٹھا تھا۔ اس کا ایک بازو کہنی تک کٹا ہوا تھا۔ جمال نے

مسکرایا تھا— یہ شخص کیا کر رہا ہو گا۔ کھانا پکا رہا ہو گا شاید۔ مگر ایک ہاتھ

ہوا تو اس نے پھر سے چڑھنا شروع کیا۔ چوٹی کے قریب

کاٹا اور وہ چوٹی پر تھا۔ جہاں شینا ڈوبتے سورج

سرخ شال پر بکھری ہوئی تھی۔ جمال کو

س بلکہ شعلہ اوڑھ رکھا ہے۔ سورج

چل رہا تھا۔ باریک بادلوں کے نرم

قتلے خام مال کی صورت میں نارنجی آگ میں بھڑکتے تو گلابی شعاعوں کی مصنوعات بنتیں۔ گلابی دُھواں ایک وادی میں رُکا ہوا تھا۔ جیسے کسی فیکٹری کا دہانہ رکاوٹ میں ہو۔ پہاڑوں کے گہرے سبزے کو شفق نے ہلکا سبز کر دیا تھا۔ بہت دُور برف پوش چوٹیاں ہلکی گلابی تھیں۔ شینا کی نارنجی آنکھوں میں شفق کی گلابی تھی۔ جمال کو گاؤں کے آنگن کا کونہ یاد آیا۔ جہاں صبح کے وقت اس کی ماں مٹی کے چولہے میں لکڑیوں کی آگ جلا کر توے پر دیسی انڈا فرائی کرتی تھی۔ وہ تڑتڑاتے ہوئے انڈے کے گرد پھیلا ہوا کڑکڑاتا تیل چمچے سے نارنجی زردی پر ڈالتی وہ گلابی ہو کر اپنے اُوپر اپنی ہی سفیدی اوڑھ لیتی۔

جمال کو اچانک وہ رات یاد آئی۔ جب مُندری والا نے ایک اُدھیڑ عمر شخص کے سر سے سایہ اُتارا تھا۔ شطرنجی فرش پر کھڑا کر کے۔

''لوگ تمہارے باپ کو پہنچا ہوا بزرگ کیوں سمجھتے ہیں۔ کیوں آسیب کا سایہ اُتارنے اس دُور افتادہ مقام پر آتے ہیں؟''

''پتا نہیں کیوں۔''

''تمہیں پتا ہے شینا، بتاؤ۔''

''پتا نہیں کیوں۔''

''اگر تمہارے پاس کوئی ایسا ہی سائل آئے اور کہے کہ میں آسیب زدہ ہوں۔ بی بی! پڑھ کر مجھ پر پھونکو۔ تو تم کیا کہو گی؟''

''پتا نہیں۔''

''میرا خیال ہے کہ تم پھونک دو گی۔ کچھ کام عورتیں کریں تو پُراسرار ہو جاتے ہیں جیسے وہ چائے کی پتیاں توڑیں تو اُن کی پوروں کا مخصوص لمس اور نمی پتیوں میں جذب ہو جاتی ہے اور چائے میں مہک اور ذائقہ جاگ اُٹھتا ہے۔ شاید اسی لیے دُنیا میں عورتوں کو چائے چننے کا کام سونپا جاتا ہے۔ اسی طرح جب عورتیں اپنے زانو پر تمباکو کا پتا جما کر

اس پر تمبا کو کا برادہ اور مسالا رکھتی ہیں اور پتے کو ہتھیلیوں سے گھما کر سگار بناتی ہیں تو ان کے بدن کی مہک سگار میں سرایت کر جاتی ہے۔ ایسا سگار پینے کا لطف کچھ اور ہی ہے۔ بالکل اسی طرح عورت کی پھونک گرہوں میں پڑنے سے نسوانی سانس میں لپٹا ہوا اِسم، گرہوں کے ریشے ریشے میں سُرعت سے اُترتا ہوگا اور یقیناً اثر انگیز ہوتا ہوگا۔''

جمال کے اس بھاشن پر شینا کھلکھلا کر ہنسی۔ اور بے حال ہو کر اپنے گھٹنوں پر گر گئی پھر اپنی آواز سنبھال کر بولی:

''تم ہر وقت خیالات کا تانا بانا بنتے رہتے ہو۔ حوالے ڈھونڈتے رہتے ہو۔ یوں کریں تو یوں ہوتا ہے۔ ووں کریں تو ووں ہوتا ہے۔ اپنے آپ کو ڈھیلا کیوں نہیں چھوڑ دیتے۔ بہر حال میں گرہوں میں پھونکیں نہیں مارتی۔'' جمال نے کھسیانی ہنسی میں اپنی بات چھپاتے ہوئے کہا:

''چلو پھونک لگا کر دکھاؤ۔''

جمال کی اس فرمائش پر شینا شدت سے مسکرائی۔ شفق کی چھوٹی سی کمان اس کے چہرے پر پھیل گئی پھر سنجیدہ ہوتے ہوئے اس کا چہرہ جلالی ہو گیا۔ ہونٹ سکیڑ کر اس کی پھونک لگائی۔ پھونک غیر معمولی تھی۔ یوں محسوس ہوتا تھا جیسے اس کا صرف ایک ہی ہونٹ ہے اور اس کے مرکز میں چھید ہے جو بہت باریک اور گول ہے جیسے نہایت احتیاط سے برما کاری کی گئی ہو۔ جمال نے پھونک کے راستے میں ہتھیلی رکھی تو اسے یوں لگا جیسے پھونک کسی باریک نالی سے آ رہی ہے۔ اس کی پھونک میں الائچی کی مہک تھی۔

''تمہارے ہونٹوں کا پھونکتا ہوا چھید بالکل گول ہے۔''

جمال نے معصومیت سے کہا تو وہ بے اختیار ہنسی۔ خوشبو بھری سانس کا بھبھوکا جمال کے چہرے سے مس ہوا۔ جمال مسکرایا۔ اس کی مسکراہٹ میں اُداسی کم اور شوخی زیادہ تھی۔ شینا نے جمال کی اُڑتی ہوئی اُداسی کو غور سے دیکھا اور نہایت سنجیدگی سے کہا:

''چھید کھولو!''

یہ کہہ کر اس نے پھر ہونٹوں میں چھید کیا۔ جمال حیرانی سے خوبصورت ہونٹ دیکھتا رہا۔ کچھ دیر پھونکنے کے بعد اس نے جمال کو خشمگیں نگاہوں سے دیکھا اور الائچی چباتے ہوئے کہا:

''چھید کھولو!!''

جمال نے بے ساختہ اُنگلی کی پور اس کے پھونکتے ہوئے ہونٹ پر رکھی۔ وہ چھید کھولنے ہی لگا تھا کہ شینا پیچھے ہٹ گئی:

''یہ میرے ہونٹ ہیں، کوئی کاغذ کی پُڑیا نہیں جسے تم ہاتھوں سے کھولتے ہو۔''

جمال پھونکتے ہوئے ہونٹ کے قریب ہوتا گیا۔ اسے یوں لگا جیسے ہوا کی خوشبودار نلکی اس کے اَدھ کُھلے ہونٹوں اور پھونکتے ہوئے چھید میں پیوست ہے اور پھر اس نے چھید کھولا۔

سورج تیزی سے غروب ہو رہا تھا۔ مہین بادلوں نے روشنی کا راستہ چھوڑ دیا تھا۔ آدھا سورج پہاڑ کے پیچھے تھا۔ یوں لگتا تھا جیسے کوئی پہاڑ کی چوٹی سے نارنجی چھتری تانے عقبی وادی میں اُتر رہا ہے۔ جب وہ ٹریک سے اُتر کر کھلے گھاس پر چلنے لگے تو جمال نے دیکھا کہ کُٹیا کا دروازہ کُھلا ہے اور چراغ کی روشنی چھن رہی ہے۔ وہ چلتے ہوئے حویلی میں داخل ہوئے برآمدے میں مُندری والا ایک کرسی پر گُم سم بیٹھا تھا۔ شینا مُندری والا کے پاس کھڑی ہو کر بولی۔

''چھید کھولو!''

یہ کہہ کر اس نے اپنے ہونٹ سکیڑے۔ جمال گھبرا کر اپنے کمرے کی طرف بھاگا۔ اس کے منہ میں الائچی کا ذائقہ تھا۔

□□□

صبح کے سورج میں زمستان کی لرزش تھی۔ ہوا میں موسمِ سرما کی آمد کا بھاری پن تھا جو جسم کے رونگٹوں کو گدگداتا ہے۔ بہار کا موسم، موسمِ گرما سے آنکھ مچولی کھیلتے کہیں نکل گیا تھا۔ اب نہایت رنگیلی اور چمک دار خزاں سردیوں کو بلا رہی تھی۔ جمال کو زندگی میں پہلی بار احساس ہوا کہ اُونچے پہاڑوں پر خزاں میں کتنی بہار ہوتی ہے۔ درختوں کے پتے اتنے رنگ دار ہو جاتے ہیں گویا سورج کے ساتھ ہولی کھیل رہے ہوں۔ بعض اوقات جمال کو احساس ہوتا تھا کہ پتے رنگوں سے پھول گئے ہیں اور رنگ رنگ کے رنگ پتوں کے مساموں سے رِس کر زمین پر ٹپک جائیں گے۔ خزاں کے بارے میں جمال کا تصوّر بدل گیا تھا۔ کچھ عرصہ پہلے جب وہ کلاس روم میں خزاں کا نوحہ پڑھتا اور شاعری کا گریہ کرتا تو طلبا و طالبات کے چہرے میدانی درختوں کے چرمرائے ہوئے پتوں کی طرح کھڑکھڑانے لگتے۔ مگر یہاں تو نباتاتی رنگوں کا میلہ ہے جس میں کرنوں کے چراغ جلتے ہیں اور پرندوں کے پتنگے اُڑتے ہیں۔ اُودا، قرمزی، ارغوانی، سرخ، ہرمزی، نیلا، بنفشی، نارنجی، پیلا، زرد، سبز، بھورا، بادامی، شُتری، نیلا، بینگنی — ہزاروں لاکھوں رنگوں کے رنگ پیڑوں پر جھلملا رہے تھے۔ ہر رنگ کے کئی رنگ تھے اور کئی رنگوں کے کئی رنگ۔

جمال نے سوچا— کہیں ایسا نہ ہو کہ ہوا زور سے چلے اور اس کے جھونکے رنگے آنچل کی طرح پھڑ پھڑانے لگیں۔

اچانک اسے ٹریک کے دہانے پر کھڑی کُٹیا میں بابا بے دست نظر آیا۔ وہ لپک کر کٹیا کے دروازے پر پہنچا۔ بابا بے دست بہت دنوں سے غائب تھا۔ کئی مہینوں سے یا شاید سال— یہاں وقت کا کوئی اندازہ نہیں ہوتا۔ یہاں وقت دوڑتا ہے۔ اُڑتا ہے۔ رُک جاتا ہے۔ کجی کھاتا ہے۔ دائرہ بناتا ہے۔ نہ جانے کب سے کالی پہاڑی پر گیارہ بج کر سات منٹ ہو رہے ہیں۔ بہت عرصہ پہلے ایک بار بابا بے دست اسے کٹیا سے باہر گھاس پر بیٹھا مِلا تھا۔ اس کا دِل چاہا تھا کہ وہ اس اُدھیڑ عمر شخص سے بہت سی باتیں کرے۔ وہ بہت دیر اس کے پاس بیٹھ کر اپنے دل کی بھڑاس نکالتا رہا تھا۔ بہت پڑھا لکھا ہونے کی وجہ سے جمال کے پاس علم کا خزانہ تھا۔ دانش وری کا جوہر تھا۔ لفظوں کی کاٹ تھی۔ طبیعاتی اور مابعد الطبیعاتی وِژن تھا۔ اس نے تہذیب کے آغاز سے لے کر آج تک قریب قریب تمام اہم نکات پر کئی گھنٹے اُدھیڑ عمر شخص کے ساتھ بات کی اور اسے محسوس ہو رہا تھا بلکہ یقین تھا کہ بابا اس کی باتیں بہت غور سے سن رہا ہے۔ اس نے تہذیب کے عروج و زوال، فلسفے کی باریکیوں، سیاست اور ریاست کے اصولوں، اخلاقیات کی باریکیوں، الغرض بنی نوع انسان کو ہر زاویے سے بابا بے دست کے سامنے پیش کیا۔ یہاں تک کہ اُس کی آواز بھاری ہوگئی۔ آخر میں اس نے بابا بے دست سے زندگی کے بارے میں اس کا فلسفہ معلوم کرنا چاہا تو بابا بولا:

''تم کب سے یہاں ہو؟''

''کافی دیر سے۔''

''ابھی تک ویسے کے ویسے ہو۔ ویسے کے ویسے لوگ تو یہاں نہیں رہ سکتے۔ تمہیں گھبراہٹ نہیں ہوتی لونڈے؟''

45

اس غیر متوقع بدتمیزی پر جمال سٹپٹا گیا۔

''کیا مطلب؟'' جمال نے درشتگی سے پوچھا۔

''وہی جو میں نے کہا ہے۔''

''تو آپ کا مطلب ہے کہ میں نے گھنٹوں جو بات کی ہے، وہ بکواس ہے؟''

''جی۔''

جی کہہ کر بابا بے دست نے جمال کی طرف یوں دیکھا جیسے وہ نہایت بدبودار اور غلیظ ہو۔ کالی پہاڑی پر ایک عرصہ گزارنے کے بعد جمال کو لوگوں کے تیور پڑھنا آ گئے تھے اور بعض اوقات بغیر ایک لفظ بولے یہاں کے لوگوں سے بات چیت کرنے کا ہنر جان گیا تھا۔ بابا کے تاثرات صاف طور پر اسے ایک گھٹیا، نیچ، کمینہ، بے عقل اور بے علم ثابت کر رہے تھے۔ اس پر طرہ یہ کہ بابا اسے آنکھوں ہی آنکھوں میں بدبودار اور غلیظ کہہ رہا تھا۔ جمال اس رویے پر بھڑک اُٹھا اور غصے سے پاگل ہو کر بولا:

''ماں کا گھسیارا۔ بھین کا للن۔ ٹنڈا۔ پچھلے کئی گھنٹوں سے تو میری ہر بات پر ہاں ہوں کر رہا ہے اور بس۔ میری تمام باتوں کو تو نے ٹشو پیپر کی طرح حقارت سے مروڑ کر پہاڑ سے نیچے دریا میں پھینک دیا، بھڑوے۔ پھر مجھے بدبودار کہتا ہے۔ تیری تو میں بھین کو——''

یہ کہہ کر جمال نے بابا بے دست کو بالوں سے پکڑا اور جھٹکے سے اس کی پیشانی دیودار کے کُھردرے تنے پر دے ماری۔ بابا بے دست نے تنے کو تھام کر اُٹھنے کی کوشش کی مگر لڑکھڑا کر پُشت کے بل زمین پر گر گیا۔ خون اس کی پیشانی اور ناتراشیدہ داڑھی سے ہوتا ہوا کانوں میں جمع ہو رہا تھا۔ جمال گھبرا کر حویلی کی طرف بھاگا۔ برآمدے میں وہ مُندری والا سے ٹکرایا اور اپنے کمرے میں جا کر بستر پر گر گیا۔ پھر ہڑبڑا کر اُٹھا۔ اس نے کھڑکی سے دیکھا کہ مُندری والا۔ شینا۔ حجام۔ نان بائی۔ دھوبی اور چند دوسرے لوگ زخمی کے گرد جمع ہیں۔ جب بھیڑ چھٹی تو چند لوگ اسے اُٹھا کر کہیں لے جا رہے

46

تھے۔اس کے سر پر پٹی بندھی ہوئی تھی___ کہیں مر ہی نہ گیا ہو___جمال نے سوچا تو اس کے رونگٹے کھڑے ہوگئے۔شینا سہ پہر کو اس کے کمرے میں آئی اور اطمینان سے بولی:

''چلیں؟''

''بابا زندہ ہے؟ کیسے ہیں اب بابا جی؟؟''

''چلیں پہاڑی پر؟'' شینا نے شوخی سے کہا۔

بابا بہت دن غائب رہا۔ جمال ایک آدھ دن بعد اس کی کُٹیا میں جھانک کر دیکھتا مگر وہاں کوئی نہیں تھا۔آج وہ اسے نظر آیا تھا۔وہ کچھ دیر دروازے میں کھڑا رہا۔ جھک کر کٹیا میں داخل ہوا اور چٹائی پر بیٹھ گیا۔کٹیا میں اتنی جگہ تھی کہ تین آدمی آرام سے لیٹ سکتے تھے۔پتھر کی چنائی پر کھپریل کی چھت تھی۔ایک چھوٹا سا آتش دان۔ روشن دان نما مربع شکل کی کھڑکی جس کے پٹ بانس کی چُھتیوں سے بنے تھے۔شیشے کی جگہ موٹے پولیتھین کا کساؤ تھا۔کھڑکی کے نیچے کچھ برتن اور چھوٹی پوٹلیاں پڑی تھیں۔ ایک لالٹین تھی۔فرش کے نمدی قالین پر گہرے نیلے کھدر نما کپڑے کی موٹی چٹائی بیچوں بیچ بچھی ہوئی تھی۔ایک کونے میں تہ در تہ دبیز لحافوں، دُلائیوں اور چادروں کا انبار تھا۔ ایک رضائی بہت پُرانی جب کہ دوسری جدید ترین تھی۔انبار کے اُوپر دو تکیے اُوپر نیچے دھرے تھے۔کُٹیا کا دروازہ کیا تھا، لکڑی کا مستطیل تختہ تھا۔بغیر کسی چول یا قبضے کے۔اُٹھا کر چوکھٹ کے آگے رکھا تو دروازہ بن گیا۔چوکھٹ سے ہٹا کر باہر دیوار کے ساتھ ٹکایا تو دروازہ کھل گیا اور باہر کا منظر بھی۔ایک دیوار کی کھونٹیوں پر بھاری اور ہلکے کپڑے لٹک رہے تھے۔کچھ صاف ستھرے۔کچھ کھونچ بھرے۔ایک بھاری اوورکوٹ کے اُوپر اُونی ٹوپی، جیسے کوئی شخص منہ موڑ کر دیوار میں پیوست ہو۔دہلیز کے قریب دو بھاری جوتے اور ان سے ذرا ہٹ کر گیلی صراحی کی گردن پر پیتل کا گلاس لپٹا ہوا تھا۔

بابا لحافوں اور دلائیوں کے انبار سے ٹیک لگا کر سکون میں تھا۔مسلسل

دروازے سے باہر کا منظر دیکھ رہا تھا۔ کھدریلا لباس پہنے۔ کھڑکی دار انگرکھا۔ جس کی ایک کھلی آستین دائیں بازو پر پوری تھی۔ جب کہ بایاں بازو جو کہنی تک کٹا ہوا تھا، چڑھی ہوئی آستین سے جھانکتا تھا۔ انگرکھے کے کھلے سینے میں سفید بالوں کا جنگل لہلہاتا تھا۔ پیشانی پر زخم کا مندمل نشان تھا۔ اس آڑے ترچھے نشان پر جمال کی نظریں کچھ دیر کو رُکیں۔ پھر وہ کسی گہرے کنویں کی تہہ سے بولا:

''جی میں وہی ہوں جس نے آپ کو مارا تھا۔''

بابا مسلسل باہر دیکھتا رہا۔

''میرا نام جمال ہے۔ آپ کا کیا نام ہے؟''

بابا اس کی طرف متوجہ ہوا۔ اپنا دایاں ہاتھ کلائی پر گھما کر بتایا کہ اس کا کوئی نام نہیں۔

— یہاں کسی کا کوئی نام نہیں سوائے شینا کے۔ ظاہر ہے ان بزرگوں کا بھی کوئی نام نہیں— جمال نے سوچا۔

''میں وہ سامنے والی بڑی حویلی میں رہتا ہوں۔''

جمال کے لہجے میں وہ نادانستہ، تحت الشعوری رعونت تھی جو متوسط طبقے کے لوگوں میں اس وقت آتی ہے جب وہ کسی متمول رشتہ دار کے بڑے مکان میں مہمان ہوتے ہیں اور اپنے میزبان کے ہمراہ کسی ہمسائے کی ضیافت میں جاتے ہیں۔

''ہوں؟؟'' بابا نے پوچھا۔

''یہ سامنے والی حویلی میں۔ مُندری والا اور شینا کے ساتھ رہتا ہوں۔''

''مگر وہاں تو کوئی نہیں رہتا!''

بابا پہلی بار بولا ہی بولا تو چھپر ٹوٹ پڑا۔ جمال کی گھگی بندھ گئی۔

— کوئی نہیں رہتا؟؟؟ بھوت!!! تو کیا میں بھوت بنگلے میں رہتا ہوں؟ کیا مُندری والا اور شینا رُوحیں ہیں؟ مُندری والا کس کی بدرُوح ہے؟— جمال کے اندر

48

کا وہی شخص پورے خدوخال کے ساتھ سامنے کھڑا تھا۔ خنکی کے باوجود اس کے ماتھے پر پسینہ تھا۔ اس نے اپنے اوسان بحال کیے۔ ماتھے پر ہتھیلی پھیرتے ہوئے بولا:

''مگر اس حویلی میں تو۔۔۔''

اس کی آواز ہیلی کاپٹر کی گڑگڑاہٹ میں دب گئی۔ اسے یاد آیا کہ علی الصبح مُندری والا اپنے معمول کی ہفتہ وار اُڑان پر نکلا تھا۔ وہ ہر ہفتے ہیلی کاپٹر پر کہیں جاتا اور وہاں سے تمام لوگوں کی ضروریاتِ زندگی کی اشیاء لاتا تھا۔ آٹا، چاول، سبزیاں، پھل، مسالے، کھانے اور جلانے کا تیل، مختلف ناپ کے کپڑے، جوتے، سنیاسی ادویات، مختلف نمبر کے چشمے، صابن، تولیے، مفلر، ٹوپیاں، موزے، شیو کا سامان اور بہت سی چیزیں۔ ہیلی کاپٹر بہت بڑا تھا۔ ایک چھوٹا جہاز ہی تو تھا۔ ایک بار اس نے کہا:

''جمال! چلو گے؟''

''ہاں۔''

''تو آؤ۔''

مُندری والا نے ڈرائنگ روم کا دروازہ کھولا۔ ایک بڑی گاڑی کو سٹارٹ کر کے باہر ہیلی پیڈ کے پاس لایا۔ اُسے ہیلی کاپٹر کے پیندے سے باندھا۔ پھر گاڑی کی چھت اور ہیلی کاپٹر کی ہک کا بغور جائزہ لیا اور مجھ سے کہا:

''گاڑی میں بیٹھو۔''

میرے اوسان خطا ہو گئے۔ مگر چار و ناچار میں گاڑی کی ڈرائیونگ سیٹ پر بیٹھ گیا سیٹ بیلٹ باندھ کر۔ مُندری والا نے ہیلی کاپٹر اسٹارٹ کیا۔ گرد اور گھاس پھوس کا طوفان اُٹھا جس نے گاڑی کو اپنی لپیٹ میں لے لیا۔ اب ہیلی کاپٹر کی گڑگڑاہٹ گاڑی کی چھت کے اُوپر تھی۔ گاڑی ہلی اور اُٹھ گئی۔ جب گرد چھٹی تو گاڑی ہوا میں چل رہی تھی۔ میرے دل کی پھڑپھڑاہٹ جاری تھی۔ دھیرے دھیرے میں نے اضطراب پر

قابو پایا اور نیچے بہتے دریا کی لکیر کو دیکھا۔ وہ دریا جس کے ٹھنڈے پانی میں ایک روز میں چابی بھرے کھلونے کی طرح اُترا تھا۔ کچھ دیر بعد میں پورے حواس میں تھا اور گاڑی کا سٹیرنگ گھما گھما کر اُسے اُڑن کھٹولے کی طرح اُڑا رہا تھا۔ آدھ پون گھنٹے بعد گاڑی نے ایک سبز میدان میں لینڈ کیا۔ پہلو میں ہیلی کاپٹر اُترا اپنے اردگرد ایک بھورا طوفان لیے۔ میں باہر نکلا تو مُندری والا کچھ لوگوں سے باتیں کر رہا تھا۔ قریب ایک ٹرک مختلف ضروریاتِ زندگی سے بھرا ہوا کھڑا تھا۔ پانچ لوگوں نے تقریباً آدھ گھنٹے میں وہ اشیاء ہیلی کاپٹر میں بھر دیں جن کی طرف مُندری والا نے اِشارہ کیا۔ پھر مجھے کہا:

''ٹرک والے کو تین ہزار ڈالر دے دو۔''

''کہاں سے دوں؟''

میں نے کہا پھر اچانک میرے اندر سے آواز آئی — کہیں مُندری والا مجھے اپنے پاس ٹھہرانے کا معاوضہ تو وصول نہیں کر رہا۔ آفٹر آل دیئر از نو فری لنچ اِن دس ورلڈ —

''گاڑی کے اندر رقم موجود ہے۔''

مُندری والا کی بات سنتے ہی میری سوچ کا جالا ہوا میں اُڑ گیا۔ میں نے گاڑی کی ڈِکی کھولی۔ گاڑی ڈالر کی گڈیوں سے بھری ہوئی تھی۔ میں نے تین ہزار ڈالر نکالے اور ٹرک والے کو دیئے۔

''کوئی رسید یا کیش میمو —؟''

میں نے مُندری والا سے پوچھا مگر وہ گاڑی کی طرف جا رہا تھا۔ میں اس کے ساتھ اگلی سیٹ پر بیٹھ گیا۔

''ہم کہاں جا رہے ہیں؟''

میں نے پوچھا تو مُندری والا نے بتایا کہ قریب ہی ایک جگہ پر جانا ہے کچھ دیر

کے لیے۔ راستے میں مجھے محسوس ہوا کہ مُندری والا کی طبیعت خراب ہو رہی ہے۔ اس کے چہرے پر کوفت بکھری ہوئی تھی۔

''کیا بات ہے؟ طبیعت تو ٹھیک ہے تمہاری؟''

''بہت بد بو ہے۔ بہت بد بو ہے۔''

میں نے بھی محسوس کیا کہ کہیں سے ہلکی ہلکی بو آ رہی ہے۔ جیسے دور کوئی مردار جانور گل سڑ رہا ہو۔ اچانک مُندری والا نے گاڑی روکی اور واپس چلنے لگا۔

''اتنی بد بو۔ اُف!!''

مُندری والا کے بائیں نتھنے سے خون نکلنا شروع ہوا۔ میں نے گلو باکس کھول کر اسے ٹشو پیپر دیا۔

''ایئر فریشنر بھی نکالو۔''

میں نے گاڑی میں ایئر فریشنر کا بھبکا دھواں چھوڑا۔ بہت تیز گاڑی چلاتے ہوئے وہ ہیلی کاپٹر کے پاس جھٹکے سے رُکا۔ مجھے ڈرائیونگ سیٹ پر آنے کا اِشارہ کر کے اس نے ایئر فریشنر اُٹھایا اور ہیلی کاپٹر کی طرف بھاگا۔ اس کی مضحکہ خیز مونچھیں، ہونٹ اور ٹھوڑی خون آلود تھی۔ میں نے جلدی سے سیٹ بیلٹ باندھی۔ ہیلی کاپٹر اسٹارٹ کرنے کے بعد اس نے جھٹکے سے گاڑی کو اُٹھایا۔ گاڑی اتنے زور سے ہلی کہ اگر بیلٹ نہ باندھی ہوتی تو میرا سر چھت سے جا ٹکراتا۔ سارا راستہ گاڑی جھولتی رہی۔ کبھی ہوا میں اُوپر جاتی، کبھی تیزی سے نیچے گرتی۔ میں نے وہ ساری دُعائیں پڑھیں جو بچپن میں ماں سے سیکھی تھیں۔ جیسے ہی دریا کی لکیر نظر آئی تو پرواز ہموار ہوگئی اور میں نے شکر ادا کیا۔

''بھین کا دِینا۔ آج مارنے لگا تھا مجھے۔ اتنی بد بو تو نہیں تھی کہ ناک سے خون جاری ہو جائے۔ اس بھینگے کی شکل دیکھو اور نازک مزاجی ملاحظہ کرو۔ شینا یہ حرکت کرتی تو بات سمجھ میں آتی تھی۔ مگر اس کو دیکھو، شکل چڑیلوں کی، مزاج پریوں کا۔''

میری اس خودکلامی میں گھاس پھونس کا طوفان اُٹھا اور گاڑی نے اطمینان سے لینڈ کیا۔ میں نے گاڑی کے وائپر چلا کر دیکھا کہ طوفان تھم چکا ہے۔ جب میں گاڑی سے باہر نکلا تو مُندری والا سر جھکائے برآمدے کی طرف جا رہا تھا— ''تو کیا وہ بھوت ہے؟ شینا بھی بھٹکی ہوئی رُوح ہے؟ کیا حویلی ایک بھوت بنگلہ ہے؟؟''

جمال آسیبی سوچ میں گم تھا کہ اچانک مُندری والا ہاتھ میں ایک بڑا تھیلا اُٹھا کر کٹیا میں داخل ہوا۔ جس میں بابا کی اشیائے صرف تھیں۔ جمال اسے دیکھ کر چلایا:

''یہی ہے۔ یہی تو ہے جس کے ساتھ میں حویلی میں رہتا ہوں اور تم کہتے ہو کہ حویلی میں کوئی نہیں رہتا۔ وہاں شینا بھی رہتی ہے۔''

مُندری والا نے تھیلا کونے میں رکھا اور چلا گیا۔

''میں اسی کے ساتھ رہتا ہوں۔''

عمر رسیدہ شخص جمال کی طرف دیکھ کر مسکرایا اور بولا:

''اچھا بابا! رہتے ہو۔ رہتے ہو۔ اسی کے ساتھ رہتے ہو۔''

''تو پھر تم نے کیوں کہا کہ حویلی میں کوئی نہیں رہتا۔ مُندری والا اور شینا اس حویلی کے مالک ہیں۔''

''مالک؟؟'' بابا نے حیرت سے کہا۔

''ہاں۔''

''کالی پہاڑی پر کوئی کسی جگہ کا مالک نہیں اور سارے ہر جگہ کے مالک ہیں۔ جس کا جہاں دِل چاہتا ہے، رہتا ہے۔ وہ دونوں حویلی میں شاید تمہاری وجہ سے رہتے ہیں۔ ورنہ وہ جگہیں بدلتے ہیں۔ یہاں کے مختلف لوگ کبھی حویلی میں رہتے ہیں، کبھی کسی مکان میں، کبھی کسی کُٹیا میں۔ کبھی غار میں۔ کبھی کھوہ میں۔''

''تم کسی شہر، قصبے یا گاؤں میں کیوں نہیں رہتے؟'' جمال نے اپنا مخصوص سوال

کیا۔

''کیوں رہیں؟''

''جیسے بہت سے لوگ رہتے ہیں۔''

''جیسے بہت سے لوگ وہاں رہتے ہیں۔ویسے کچھ لوگ یہاں رہتے ہیں۔وہ وہاں خوش،ہم یہاں خوش۔''

''تم لوگ نومینز لینڈ میں رہتے ہو۔کسی باقاعدہ ملک میں رہو۔ جہاں تہذیب وتمدن ہے،ثقافت ہے،ترقی ہے،سہولتیں ہیں۔نظام ہے۔سول سوسائٹی ہے۔ مقنّنہ،عدلیہ اورانتظامیہ ہے۔جہاں——''

''وہاں بو آتی ہے!!'' عمر رسیدہ شخص نے وہی بات دُہرائی جو کالی پہاڑی کا ہر شخص کرتا تھا۔حجام،ترکھان،مستری پتھیرا،گھسیارا،مالی،نانبائی،گورکن،طبیب،گویّا، سازندہ،نقاش،لکھاری—— ہر کوئی۔

''بو آتی ہے؟کیسی بو۔''

''حکومت کی بو ہوتی ہے۔جو آتی ہے!!!'' بابا نے پہلی بار جمال کی آنکھوں میں آنکھیں ڈال کر کہا۔جمال نے محسوس کیا کہ عمر رسیدہ شخص کی غلافی آنکھیں فاختائی ہیں۔نہایت غیر معمولی اور طلسمی۔

''حکومت کی بو ہوتی ہے۔جو پھیلتی ہے اور آتی ہے۔مشامِ جاں میں سوئیوں کی طرح چُبھتی ہے۔شریانیں اُدھیڑتی ہے۔نسیں پھاڑتی ہے۔سوچ مفلوج کرتی ہے۔ ضمیر کا گلا گھونٹتی ہے۔قویٰ مضمحل کرتی ہے۔حکومت مردار جسم کی طرح ملک کے تمام شہروں،گاؤں،قصبوں،کھلیانوں،صحراؤں،پہاڑوں،ندیوں،دریاؤں اور سمندر میں پڑی ہوتی ہے۔کٹی کھوپڑی اور پھٹے پیٹ کے ساتھ۔جس کی انتڑیوں میں گدھ چونچوں اور پنجوں کے نشتر چبھو کر مرا ہوا فُضلہ ہوا میں اُچھالتے ہیں۔حکومت کی بُو ہوتی ہے۔جو

آتی ہے۔کھانے نہیں دیتی۔سونے نہیں دیتی۔جینے نہیں دیتی۔''

بولتی ہوئی غلافی آنکھیں مسلسل جمال کی آنکھوں میں پیوست تھیں۔ جمال ہڑبڑا کر اُٹھا۔صراحی سے پانی کا گلاس غٹ غٹ پی کر پھر سے وہیں آ بیٹھا۔اسے یاد آیا کہ جب وہ مُندری والا کے ساتھ اشیائے صرف لینے گیا تھا تو ہلکی سی بُو اسے بھی آئی تھی۔مگر یہ اسے پہلے کیوں نہیں آئی، اتنے سال۔عین ممکن ہے کہ بُو موجود ہو مگر اس نے غور ہی نہ کیا ہو۔یہ بھی ممکن ہے کہ وہ اسے ماحولیاتی آلودگی سمجھ کر نظر انداز کرتا رہا ہو۔وہ کچھ دیر سوچتا رہا— عجیب لوگ ہیں یہاں کے۔مجھے یقین ہے کہ یہاں کے اکثر لوگ ناخواندہ ہیں یا معمولی تعلیم یافتہ سوائے شینا کے۔مگر اتنے حساس اور اتنے دیدہ دلیر کہ بسی بسائی دُنیا چھوڑ کر ویرانے میں آباد ہیں۔یہ لوگوں کی کون سی قسم ہے، بن باسی یا تارک الدنیا بھی نہیں لگتے، جوگی، رِشی، سادھو یا درویش بھی نہیں۔ڈیڑھ، دوسو لوگ تو ہوں گے ملا جلا کے۔سب اپنی دھن میں مگن ہیں۔کوئی بدنظمی نہیں—

''مگر یہ بدبو ہر ملک سے تو نہیں آتی ہوگی۔دُنیا میں بہت سے ممالک ہیں۔ کوئی ملک تو ایسا ہوگا جہاں کا نظام بہتر ہو۔جہاں خوشبو ہو۔'' جمال نے پوچھا۔

''میں اور یہ شخص جو ابھی تھیلا لے کر آیا تھا، دُنیا کے بہت سے ممالک میں گھومے پھرے ہیں اور وہاں رہے ہیں۔کہیں بُو زیادہ آتی ہے، کہیں کم۔مگر آتی ہے۔''

اچانک جمال کے ذہن میں ایک خدشے نے جنم لیا— کہیں ایسا تو نہیں کہ ماتھے پر چوٹ لگنے سے یہ بابا اول فول بک رہا ہے۔اس کا دماغی توازن تو کہیں— مگر نہیں ایسا نہیں ہے۔اس کا یہ خدشہ غلط ہے۔کیونکہ یہاں کا ہر شخص یہی بات کرتا ہے۔

''دیکھیں بزرگو! جب آپ نے یہ طے ہی کر لیا کہ دُنیا کا نظام مردار جسم کی طرح ہے۔بُو دیتا ہے۔تو آپ سماج میں جائیے اور نظام کو درست کیجیے یا کم از کم درست کرنے کی کوشش کیجیے۔یہ تو ہتھیار پھینک دینے والی بات ہوئی کہ ساری دُنیا کو بدبو میں

چھوڑ کر خود پہاڑ پر چڑھ گئے۔ کام نہ کاج۔ کھاتے رہے گھومتے رہے اور سوتے رہے۔ معذرت کے ساتھ عرض کروں گا کہ یہ بزدلی ہے۔ چھٹکارا ہے۔ حقیقت سے منہ چھپانا ہے۔ بلکہ منہ کی اوٹ کرنا ہے۔'' جمال نے دلیری سے بات کی۔

''بحیثیت ایک جان دار، میرا یہ حق ہے کہ میں صحت مند زندگی گزاروں اور آرام سے مر جاؤں۔'' بابا بولا۔

''مگر بحیثیت ایک انسان۔ آپ سوشل اینیمل بھی تو ہیں۔ آپ کی سماجی حیثیت ہے۔''

''کالی پہاڑی ایک سماج ہے اور میں یہاں کا سوشل اینیمل ہوں جیسے شاید تم بھی ہو۔''

''میں تو گھومتا گھامتا یہاں آ گیا۔ کسی ذہنی کیفیت کے سہارے۔ جیسے آیا ویسے کسی دن چلا بھی جاؤں گا—شاید۔''

''یہاں کوئی ایسے ہی نہیں آ جاتا۔ نہ ایسے ہی چلا جاتا ہے۔ کالی پہاڑی بلاتی ہے تو آتا ہے۔ بھیجتی ہے تو چلا جاتا ہے۔'' بابا بولا۔

''بھلا یہ کیا بات ہوئی۔ انسان زمین آباد کرتا ہے نہ کہ زمین انسان کو آباد کرتی ہے۔ کالی پہاڑی بھی اسی زمین کا ایک حصہ ہے۔ آپ کی باتوں سے تو یوں لگتا ہے جیسے یہ پہاڑی زمین کے پہیے میں لگا ہوا ایک اور پہیہ ہے جو بڑے پہیے کے اندر مختلف سمت میں گھومتا ہے۔'' جمال نے بات بڑھائی۔

''ایسا ہی ہے۔ بعض لوگوں سے مِل کر سکون ملتا ہے۔ بعض سے مِل کر اُلجھن ہوتی ہے۔ ایسے ہی کچھ مقامات پر جا کر سکون ملتا ہے۔ کچھ مقامات پر اُلجھن ہوتی ہے۔ زمین کی زبان تم کچھ کچھ سمجھتے ہو۔ مگر تمہارا کتابی علم آڑے آتا ہے۔ تمہارا دِل تو چاہتا ہے کہ تم زمین سے باتیں کرو مگر اس خوف سے چپ رہتے ہو کہ کہیں دُنیا تمہیں دیوانہ نہ

کہہ دے۔ کالی پہاڑی شاید تم سے بات کرنا پسند کرے اگر تم اپنے آپ کو ڈھیلا چھوڑ دو۔ تم ذرا کٹھور ہو۔ تمہاری گٹھلی ذرا سخت ہے مگر چٹخ جائے گی شاید۔ دراصل تم وہ زخم ہو جو دھیرے دھیرے بھرتا ہے۔'' بابا کی یہ بات سن کر جمال سناٹے میں آ گیا۔

مجھے زخم کہتا ہے ماں کا گھسیارا۔ مجھے ناسور سمجھتا ہے۔ دِل تو چاہتا ہے اسے بالوں سے پکڑ کر گھسیٹتا ہوا باہر لے جاؤں اور ایک بار پھر اس کا سر دیودار کے تنے سے دے ماروں۔ بھین کا للن ۔ جمال غصے کی جھانجھ میں اُبل رہا تھا۔ عین ممکن تھا کہ دراز دستی کرے۔ مگر اچانک ایک عجیب سا احساس اس پر غالب آ گیا۔ اسے اپنے معدے کے نیچے سرسراہٹ محسوس ہوئی۔ جو یکایک سنسنی میں تبدیل ہوئی۔ سرسراہٹ ریڑھ کی ہڈی تک پہنچی اور مہروں کی سیڑھیاں چڑھنے اُترنے لگی۔ جمال نے گھبرا کر اپنے پیٹ پر ہاتھ رکھا اور اُدھیڑ عمر شخص کو دیکھا جو اپنے پیٹ پر ہاتھ پھیر رہا تھا۔

''یہ کیا ہے؟'' جمال نے بے اختیاری سے کہا۔

''زمین ہلنے والی ہے کچھ دیر میں۔'' بابا بولا۔

''آپ کا مطلب ہے زلزلہ آنے والا ہے؟''

''ہاں۔''

''کب؟''

''کچھ دیر میں۔''

''کتنی دیر میں؟''

''کچھ دیر میں۔''

یہ بڑی مصیبت ہے کہ یہاں کے لوگ صاف بات نہیں کرتے۔ اب اس بوڑھے کو دیکھو اسے معلوم ہے کہ زلزلہ کب آئے گا۔ آدھ گھنٹے میں۔ پندرہ منٹ میں۔ بیس منٹ میں۔ مگر مجال ہے جو صحیح وقت بتا دے۔ ریاضی سے ان لوگوں کو خدا واسطے کا

بیر ہے۔ اگر ان سے وقت پوچھو تو کہتے ہیں شام کا وقت ہے۔ اگر ان سے پوچھو کہ بس کا اڈہ یہاں سے کتنی دُور ہے تو کہتے ہیں کچھ دُور ہے۔ اگر ان سے پوچھو کہ دریا کی گہرائی کتنی ہے تو بولتے ہیں کافی ہے۔ اگر اصرار کرو تو کہتے ہیں کہیں کم ہے تو کہیں زیادہ ہے۔ یہ بوڑھا بہت گُھنّا ہے۔ اسے سب پتا ہے کہ زلزلہ کب آئے گا۔ یہ بھی ممکن ہے کہ اس شخص نے اندازہ لگایا ہو۔ آج تک کسے معلوم ہوا کہ زلزلہ آنے والا ہے۔ سوائے پرندوں اور جانوروں کے۔ میرا خیال ہے کوئی زلزلہ ولزلہ نہیں آئے گا۔ یہ سب خام خیالی ہے۔ قیاس آرائی ہے۔ لوگوں کو متاثر کرنے کا ذریعہ ہے۔

اچانک کُٹیا ہلنے لگی۔ کھونٹی پر لٹکے کپڑے ہلنے لگے۔ جمال نے خودساختہ دلیری کا مظاہرہ کرتے ہوئے بوڑھے کو مسکرا کر دیکھا۔

"دراصل ہم لوگ کالی پہاڑی پر چھٹیاں گزارنے آئے ہیں۔ ہم یہاں آرام کرنے آئے ہیں۔ بہت تھک گئے تھے چلتے چلتے۔ بھاگتے بھاگتے۔ سانس برابر کرنے کو آئے ہیں۔ سونے اور جاگنے کے لیے آئے ہیں۔ جینے اور مرنے کے لیے آئے ہیں۔"

بوڑھا زلزلے سے بے نیاز تھا اور جمال سے مخاطب تھا۔ اتنے میں زمین زور سے ہلی۔ پانی کی صراحی لڑکھڑا کر گری اور اس کی گردن ٹوٹ گئی۔ جمال اُچھل کر کھڑا ہوا۔ بھاگ کر باہر نکلا اور درختوں کے درمیان وہاں کھڑا ہو گیا جہاں سے ٹریک پہاڑ پر چڑھتا تھا۔

پیٹ میں سنسناہٹ کے بعد زلزلہ تقریباً آدھ گھنٹے بعد آیا ہے یا شاید پندرہ منٹ بعد۔ نہیں بیس ایک منٹ بعد شاید۔ یہ سوچتے ہوئے جمال حویلی کی طرف چلنے لگا۔

□□□

باوردی ملازم نے مجھے ایک کسمساتے ہوئے کمرے میں احتیاط سے داخل کیا جو ایئر کنڈیشنر کی یخ میں چمک رہا تھا۔ بڑی میز کے پیچھے کرسی پر ایک غیر معمولی شخص نے میرا بغور جائزہ لیا۔ بڑے چشمے کے اندر اس کی مردہ آنکھیں ٹھہری ہوئی تھیں۔ جیسے تابوت کے ڈھکنے پر لگے مربع شیشے کے نیچے سے میّت کا چہرہ جھانکتا ہے۔ اُٹھتے ہوئے بولا:

''تشریف رکھیے جمال صاحب۔ پلیز۔''

''شکریہ۔'' میں بیٹھ گیا۔

''دیکھئے صاحب۔ اس سے پیشتر کہ آپ وزیراعظم کے پاس حاضر ہوں میں کچھ عرض کرنا چاہتا ہوں، آپ کی اجازت سے۔''

''جی فرمایئے۔''

''آپ بہت عالم فاضل ہیں۔ ملک کے عظیم دانش ور ہیں میڈیا بھی آپ کے گن گاتا ہے۔ فیصلہ کیا گیا ہے کہ شاعروں اور ادیبوں کو ایک سرکاری پلیٹ فارم فراہم کیا جائے، اکیڈمی آف رائٹرز۔ آپ اس کے سربراہ ہوں گے۔ مراعات! جتنی آپ

کہیں۔ آپ سے بہتر کون جانتا ہے جمال صاحب کہ ملک کے دانشوروں کی سمت متعین نہیں۔ کسی کا منہ مشرق کی طرف ہے تو کسی کا مغرب کی طرف۔ صرف آپ کی رہنمائی میں ان کا قبلہ درست ہوسکتا ہے۔ قبلہ درست کرنا سمجھتے ہیں ناں آپ؟ بلکہ میں تو عرض کروں گا کہ اردگرد کے ممالک میں رہنے والے دانش وروں کا قبلہ بھی درست کر دیجیے ہاہاہاہاہا——''

اس نے اپنا ہنستا ہوا ہاتھ میری طرف بڑھایا۔ میں نے نہ چاہتے ہوئے اپنا ہاتھ اُسے تھمایا۔ محسوس ہوا جیسے میں لاش سے مصافحہ کررہا ہوں۔ میز پر دھرے فون میں بھنبھناہٹ ہوئی تو مردہ چشم نے لپک کر ریسیور اُٹھایا۔

''سر!——یس سر——جی موجود ہیں جمال صاحب——جی عین وقت پر آئے تھے۔ اپوائنٹ منٹ کے مطابق، جی پیش کرتا ہوں——آیئے جی۔''

فون رکھتے ہوئے اس نے تیزی سے مجھے پیچھے آنے کا اِشارہ کیا۔ بڑے دروازے کے قریب ایک لمحے کو ٹھٹکا۔ پھر بڑی محویت اور وارفتگی سے دروازہ ٹٹول کر کھولا۔ جیسے کوئی شبِ زفاف کے ابتدائی مراحل کامیابی سے طے کرنے کے بعد بندِ قبا کھولتا ہے۔ پہلے وہ بذریعہ چہرہ کمرے میں داخل ہوا۔ باقی جسم بعد میں گیا۔ پھر کسی چوب دار کی طرح پورا دروازہ کھول کر مجھے گھورنے لگا۔ مطلب تھا آیئے۔

''ملک صاحب نے آپ کو بریف تو کر ہی دیا ہوگا۔''

جب وزیراعظم نے مجھ سے یہ کہا تو میرے اندر کوئی چیز چھناکے سے ٹوٹی۔ معلوم نہیں میں کب کرسی پر بیٹھ گیا۔

''آپ ملک کے عظیم دانش ور ہیں جمال صاحب اور پھر الیکٹرانک اور پرنٹ میڈیا میں آپ کا خاصا اثرورسوخ ہے۔ حکومت آپ کی قدر کرتی ہے اور احترام کی نگاہ سے دیکھتی ہے۔ آپ کا احترام ہمارا فرض ہے اور آپ کا حق۔ کہتے ہیں۔

قدرِ گوہر شاہ داند یا بداند جوہری۔" وزیرِاعظم نے یہ جملہ کاغذ سے دیکھ کر پڑھا۔ "اب آپ ہمیں شاہ سمجھ لیجیے یا جوہری۔ بہرحال کوہِ نور ہیرے کی پہچان ہمیں ہے۔ ملک صاحب کی زیرِ نگرانی کام شروع کیجیے۔"

یہ کہہ کر وزیراعظم نے اپنا ہاتھ مصافحے کے لیے بڑھایا۔ میں نے ہاتھ ملاتے ہوئے کہا:

"مجھ سے یہ کام نہیں ہوگا۔ کیونکہ میرے مزاج کا نہیں۔"

جب میں کمرے سے باہر نکلا تو ملک صاحب فون سن رہے تھے۔ اور ان کے چہرے کے تیور اس کچے برتن کی طرح تھے۔ جسے کوزہ ساز چاک پر چھوڑ جائے اور اس کا بچہ چاک گھما کر کوزہ گری کرے۔ مردہ چشم نے مجھے پھیلی ہوئی آنکھوں سے دیکھا اور کہا۔

"یو مے گو۔"

مردہ چشم کے لفظوں میں بدبو اور آنکھوں میں گالی تھی۔ ماں کی گالی — اس کی آنکھوں نے میرے گال پر تھپڑ مارا۔ مجھے لٹیرا قرار دیا جو بوڑھے باپ کی موجودگی میں دن دہاڑے ماں چرا کر لے جاتا ہے۔

میرے پاؤں جہاز کے پہیوں کی طرح گھومنے لگے اور میں دیواروں کا کنکریٹ اور کھڑکیوں کے شیشے توڑتا ہوا عمارت سے ٹیک آف کر گیا۔ پہاڑوں پر اُڑتا رہا۔ صحراؤں پر منڈلاتا رہا۔ سمندر پر لہراتا رہا۔

یہ کون سا ملک ہے؟ یورپ کا کوئی ملک معلوم دیتا ہے۔ یا شاید مشرقِ وسطیٰ کا۔ نہیں ایشیا کا ہے۔ نام کیا تھا! — کیا تھا؟؟ ک سے شروع ہوتا ہے۔ نہیں ل سے۔ بہت ترقی یافتہ شہر ہے۔

"سب تیاریاں مکمل ہیں؟ اسٹیج کے نیچے نصب کیا ہے ناں؟" میں نے پوچھا۔

''ہاں سب ٹھیک ہے۔ سب ٹھیک ہے باس۔'' ٹھگنے نے جواب دیا۔

ہال تو کھچا کھچ بھر گیا ہے۔ کتنے لوگ ہوں گے؟ چھ ہزار یا شاید چھ لاکھ۔ بہت بڑا ہال ہے۔ جیسے کسی صحرا پر چھت ڈال دی گئی ہو۔ کبھی یہ ہال بڑا لگتا ہے کبھی چھوٹا۔ سب رنگوں کے لوگ ہیں۔ مجمع ابھی جما نہیں۔ شور بہت مچاتا ہے یہ کراوڈ۔ بچے ساتھ لانے کی کیا ضرورت تھی اس جلسے میں۔ اب لائے ہو تو بھگتو۔ سب رنگوں کے لوگ ہیں۔ سفید۔ کالے۔ پیلے اور کچھ سبز چہروں والے بھی ہیں۔ ریموٹ شینا کے پاس ہے شاید۔ اری او سرخ شال والی، ادھر آ — اوہ معاف کیجیے، میں سمجھا شینا ہے۔

''سیکیورٹی والوں کو شک تو نہیں گزرا کہیں؟''

''نہیں باس۔''

''چلو سکیورٹی والے ہی سے پوچھ لیتے ہیں۔''

میں نے خاکی وردی میں ملبوس ایک شخص کی پیٹھ تھپتھپا کر پوچھا:

''ہم پر شک تو نہیں ہے آپ کو؟''

وہ مڑا۔ اس کی تین آنکھیں تھیں۔ بولا۔

''نئیں جی نئیں۔ کوئی شک نئیں۔ اپنا اپنا دھندا ہے۔ تم اپنا کام کرو، ہم اپنا کرتے ہیں۔''

''ماں! ماں!! تم جلسے میں کیا کر رہی ہو۔ تم نے سبز شال کیوں اوڑھ رکھی ہے چہرہ کیوں چھپایا ہوا ہے۔ مجھے اپنا دایاں گال دکھاؤ۔ مردہ چشم کی گالی تمہارے گال سے چپکی ہوئی ہے۔ لاؤ میں اسے کھینچ کر اُتار دوں۔ تمہارا گال تو ٹھنڈا ہے۔ ماں یہ جو تمہارے پاؤں کے پاس قبر ہے اس میں رخنہ ہے۔ اس میں چھید ہے۔ ابا جھانک کر تمہیں دیکھتے ہیں۔ یہ اس ہال میں پہاڑ کیسے اُگ آئے ہیں۔ ماں تم ہال سے باہر نکل جاؤ۔ ابا کے پاس چلی جاؤ۔''

اسٹیج پر طوطے کا پنجرہ لٹک رہا ہے۔ پہلے طوطا تقریر کرے گا۔ پھر وزیر اعظم جو کرسی پر ننگا بیٹھا ہے اور اس کے بدن پر تیل چمک رہا ہے۔

''خواتین و حضرات! طوطے کی تقریر کے بعد اب وزیر اعظم قوم سے خطاب ___''

مجھے دوڑ کر شینا کے پاس جانا چاہیے اور بتانا چاہیے کہ ریموٹ کا بٹن دبا دے۔ او ہو۔ موبائل بھی کام نہیں کر رہا۔ میرے پاؤں بھاری کیوں ہو گئے ہیں۔ میں سلو موشن میں کیوں دوڑ رہا ہوں۔ ہال پھیلتا جا رہا ہے۔ پہاڑ اُونچے ہو رہے ہیں۔ لوگ اپنی اپنی قبروں پر کھڑے ہو کر جلسہ سن رہے ہیں۔

''او خنزیر کی اولاد۔ اس کچی قبر سے نیچے اُترو۔ ورنہ اس کا چھید کُھل جائے گا۔ وہ رہی شینا۔ شینا۔ ریموٹ کا بٹن دبا دو۔ شینا میں آ رہا ہوں۔ بٹن دبا دو فوراً ___ بٹن ___''

دھا ___ دھا ___ دھم دھم۔

خون فرش پر پھیل گیا ہے۔ آتش فشاں کا دہانہ پھٹ گیا ہے۔ خون لاوے میں مِل کر اپنا رنگ اُڑا رہا ہے۔ گری ہوئی آنکھیں لاوے میں پگھل رہی ہیں۔ گوشت کے چیتھڑے ستونوں پر چپکے ہوئے ہیں۔ لہرا رہے ہیں۔ میں چکنے فرش پر پھسل رہا ہوں۔ خون کی آبشار کے ساتھ میں بڑے دروازے سے وادی میں گروں گا۔ خون کا ریلا بہت تیز ہے۔ نیچے دریا کے پانی میں مجھے چابی نظر آ رہی ہے۔ جو میری کمر سے نکل کر بہہ گئی تھی۔

''می لارڈ! ثابت ہو چکا ہے کہ یہ عورت اس جلسے میں حاملہ ہوئی جہاں طاقت ور بم کا دھماکہ ہوا اور لاشوں کے انبار لگ گئے۔ میرے فاضل وکیل اس دلیل کو مضحکہ خیز مفروضہ قرار دے کر مقدمے کو پیچیدہ کرنے کی کوشش میں ہیں۔ یہ حقیقت ہے کہ ایسا مقدمہ قانون کی تاریخ میں پہلے کبھی پیش نہیں کیا گیا۔ کیونکہ یہ اپنی نوعیت کا انوکھا واقعہ

ہے مگر ہمیں ہر گز نہیں بھولنا چاہیے۔ اس دُنیا میں کچھ بھی ممکن ہے۔ سب کچھ ممکن ہے۔

جنابِ والا! اس حقیقت سے کسی کو انکار نہیں کہ جلسے میں نصب نہایت طاقت ور بم سے لوگوں کے بدن کُھل گئے۔ سینے شق ہو گئے اور غدود پھٹ گئے۔ جسموں کے خلیے بخارات کی طرح ہال میں اُڑنے لگے۔ یہ ہر قسم کے خلیے تھے می لارڈ! جو مختلف جسموں کے مختلف اعضاء سے نکل کر زخمی لوگوں کے گرد اُڑ رہے تھے۔ اسی جلسے میں اس عورت کا پیٹ پھٹ گیا اور کچھ بخارات اس کے کھلے پیٹ کے گھاؤ میں اُتر گئے۔ یہی وجہ تھی کہ بعد میں یہ عورت حاملہ ہو گئی۔ جنابِ والا! یہ کہنا قطعی طور پر بہتان ہے کہ عورت بد چلن ہے۔ کیونکہ اس کا بوائے فرینڈ نامرد ہے۔ سوال یہ پیدا ہوتا ہے کہ اگر اس کا بوائے فرینڈ نامرد ہے تو کیا ہال میں موجود ہزاروں مرد بھی نامرد تھے۔ جن کے جسموں کے پرخچے اُڑ گئے؟؟ نہیں ہر گز نہیں۔ میرے دلائل کی سچائی کا ثبوت یہ ہے کہ جب نو ماہ بعد اس عورت کے ہاں بچہ پیدا ہوا تو اس کے بدن سے فاسفورس کی بو آتی تھی اور اب تک آتی ہے — فاضل جج صاحب کو بچہ سونگھایا جائے۔"

اُونی کپڑوں میں لپٹا ہوا بچہ جج کے سامنے پیش کیا گیا۔

"جی جج صاحب۔ فاسفورس کی بو آتی ہے؟"

"ہاں! آتی ہے۔"

"میں اپنے دلائل کی روشنی میں فاضل عدالت سے درخواست کرتا ہوں کہ وہ کٹہرے میں کھڑے ملزم جمال کو موت کی سزا سنائے۔ اس لیے نہیں کہ اس نے بم دھماکہ کر کے سینکڑوں لوگ ہلاک کیے۔ کیونکہ ایسے دھماکے تو روزمرہ کا معمول ہیں۔ بلکہ سزائے موت اس لیے دی جائے کہ جمال نے تاریخ میں پہلی بار بم کے ذریعے ایک عورت کو حاملہ کیا اور ایسا بچہ پیدا کرنے پر مجبور کیا جس کے بدن سے فاسفورس کی بُو آتی ہے — شکریہ می لارڈ!"

”وکیلوں کے دلائل اور گواہوں کے بیانات سننے کے بعد عدالت اس نتیجے پر پہنچی ہے کہ ملزم جمال ایک گھناؤنے جرم کا مرتکب ہوا ہے۔ کیونکہ اس نے انسانی افزائشِ نسل کی توہین کی ہے۔ چنانچہ عدالت جمال کو مجرم قرار دیتے ہوئے اسے موت کی سزا دیتی ہے اور یہ سزا اسی وقت اسی عدالت میں دی جائے گی۔ مجرم کے جسم کے ساتھ اسی طاقت کا بم باندھا جائے جو اس نے جلسہ گاہ میں نصب کیا تھا۔ ہم خود ریموٹ کا بٹن دبائیں گے اور اس کھچا کھچ بھری عدالت کے ہال سے کوئی بھی شخص باہر نہیں جائے گا۔ دروازے بند کر کے گارڈ بھی اندر آ جائیں۔“

”ماں! ماں!! تم عدالت میں کیا کر رہی ہو۔ جج صاحب میری ماں کو باہر جانے دو۔ میرا باپ اکیلا ہے۔ وہ چھید سے باہر جھانک رہا ہے۔ میری ماں کو باہر جانے دو— میری ماں—“

—جمال ہڑبڑا کر بیدار ہوا تو اس کا جسم پسینے میں شرابور تھا۔ کئی راتوں کے بعد اس نے ڈراؤنا خواب دیکھا تھا۔ کالی پہاڑی پر رہتے رہتے اس کی گھبراہٹ کم ہونے لگی تھی مگر آج پھر گھبراہٹ کا دورہ پڑا۔ تکیے کے نیچے سے لائٹر ٹٹول کر جمال نے روشنی کی۔ طاق میں رکھا چراغ جلایا اور کمرے میں ٹہلنے لگا۔

اسے گزرے دن یاد آئے۔ لوگ اسے عظیم دانش ور کی حیثیت سے پوجتے تھے۔ وہ جہاں سے گزرتا لوگ اس کے گرد جمع ہو جاتے۔ سیانی باتیں پوچھتے۔ وہ ملکی اور بین الاقوامی حالات کی جو بھی پیشین گوئی کرتا، سچ ثابت ہوتی۔ وہ معاشرے کے لیے ایک رول ماڈل تھا۔ لوگ اسے درویش کہتے۔ اپنے مسائل بیان کرتے اور وہ ان کا حل بتاتا۔ وہ خواص و عام میں یکساں مقبول تھا۔ ٹی وی چینلز اسے اپنے ٹاک شوز میں بلانے کو بے تاب رہتے اور اس کی برجستہ گفتگو کو فخر کے ساتھ نشر کرتے۔ انٹرویو لینے والے صحافی اس کے اردگرد منڈلاتے رہتے۔ حکومت اسے مراعات اور عہدے دینے کے لیے ہر

وقت تیار رہتی ۔ اسے یہ دھڑ کا لگا رہتا کہ کہیں لوگ اسے پیر فقیر نہ سمجھ بیٹھیں ۔ اسی لیے وہ اکثر کہتا پیرِ من خس است ۔ اعتقادِ من بس است ۔ بھائی! ہمارا پیری فقیری سے کیا کام ۔ ہم تو عاجز سے انسان ہیں ۔ سب سے محبت کرتے ہیں ۔ نہ کوئی طمع نہ لالچ ۔ دو وقت کی روٹی، دو کپڑوں کے جوڑے اور کیا چاہیے زندہ رہنے کے لیے ۔

مگر اس پہاڑی کے لوگ نجانے کس ہوا میں ہیں ۔ مفقودالحواس بھی نہیں ۔ دیوانے بھی نہیں ہوشیار بھی نہیں ۔ بس مست ہیں اپنے آپ میں ۔ زندگی میں پہلی بار لوگوں کا ٹولا دیکھا ہے جو مجھ سے بیگانہ ہے ۔ عجب اتفاق ہے ۔ بہت بڑا ریسرچ تھیسیس ہے یہ کالی پہاڑی ۔ یہ سوچتے ہوئے جمال نے چراغ پر پھونک کا وار کیا اور اندھیرے راستے پر چلتا ہوا اپنے بستر تک آیا ۔

❑❑❑

جمال نے اسے کئی بار دیکھا تھا۔ بھورے بالوں اور مضبوط سموں والے خچر پر سوار۔ دو خچر اس کے پیچھے پیچھے چلتے رہتے۔ بھورے خچر کا زیور ہلکا تھا۔ ہلکی خاکی زین۔ چمک دار رکابیں۔ لگام رسماً لگا رکھی تھی۔ کیونکہ یا تو خچر کو سب راستے یاد تھے یا اسے آزادی تھی کہ جہاں جی چاہے چل دے۔ عقب میں چلنے والے دو خچر مال بردار تھے۔ خورجین۔ چرمی تھیلے۔ زنبیل اور چھاگلیں دونوں کے پہلوؤں سے لٹکتی رہتیں۔ وہ شخص جمال کو بہت پُرکشش لگتا۔ سفید رنگ۔ سبز آنکھیں۔ ستواں ناک۔ چھریرا بدن۔ چہرے پر دائمی مسکان۔ ہر وقت کچھ نہ کچھ کرتا رہتا۔ کبھی اِس شخص کے پاس کھڑا ہے تو کبھی اُس کے پاس۔ جب اکیلا ہوتا تو خچر پر بیٹھ کر پیتل کا باجا بجاتا۔ اس کا باجا درمیانی جسامت کا تھا جس کی آواز پاٹ دار مگر مترنم تھی۔ وہ اکثر تین دُھنیں بجاتا۔ دو دُھنیں نہایت رجائی اور چنچل تھیں۔ جیسے بچپن کی سہیلیاں سنِ بلوغت کو پہنچنے سے پہلے چہلیں کرتی ہیں۔ کھلکھلا کر ہنستی ہیں۔ گھوم کر فراک میں ہوا بھرتی ہیں۔ جوان ہوتی ٹانگوں کی عریانی سے بے خبر گھاس پر لوٹ لوٹ کر ایک دوسرے سے ٹکرانے کے بعد نورا کُشتی کرتی ہیں۔ تیسری دُھن رجائی مگر گمبھیر تھی۔ جیسے ساری عمر سنجیدگی سے گزارنے والا گھر کا سربراہ

66

اچانک کسی بڑی خوشی سے ٹکرا جائے۔ ایسی خوشی جو اُسے کھلکھلانے پر مجبور کرے۔ مگر وارفتگی کی حد کو چھونے سے پہلے دائمی سنجیدگی اسے فقط مسکرانے اور آنکھیں نم کرنے ہی کی اجازت دے۔ تین خچروں اور تین دُھنوں والا یہ شخص اکثر گردش میں رہتا۔ کبھی اس چوٹی پر تو کبھی اُس ٹیلے پر۔ کبھی دریا کی ترائی میں۔ کبھی ٹریک کی چڑھائی میں۔ کبھی دُور درختوں کی اوٹ میں دیے کی طرح جھلملاتا اور جگنو کی طرح جلتا بجھتا رہتا۔

اس کی ہر ادا میں بانکپن تھا۔ کبھی شکاری لباس زیب تن کیے ہوئے۔ پتلون کے پائینچے لمبے بوٹوں میں اُڑسے ہوئے۔ سر پر پی کیپ۔ معتدل اور صاف موسم میں اکثر مادرزاد ننگا یا ڈھیلی نیکر اور فلاپی ہیٹ پہنے چلے آتے ہیں۔ تینوں خچر بھی اس کی طرح خوش باش اور تروتازہ تھے۔ خاص طور پر مال گاڑی کا انجن یعنی سواری کا خچر۔ اپنے سوار کی طرح مسکراتا رہتا اس کی آنکھوں میں شرارت اور اطمینان کی چمک ہوتی۔ وہ جب بھی جمال کے پاس سے گزرتا تو علیک سلیک ہوتی۔ ایک آدھ بار تو طویل بات چیت بھی ہوئی۔ اس نے اپنا نام سیموئیل بتایا اور پیار کا نام سام۔ جمال نے شکر ادا کیا کہ اس پہاڑی پر شینا کے علاوہ کوئی اور بھی ہے جس کا باقاعدہ نام ہے جسے پکارا جا سکتا ہے۔

مگر یہ شخص کون ہے؟ جمال کی متجسس اور مشکوک فطرت سوال کرنے لگی۔ جہاں گرد درویش ہے۔ رمتا جوگی ہے۔ بلّو بنجارا ہے یا سام سیلانی۔ بمشکل تیس پینتیس سال کا ہوگا۔ جو جی میں آئے کرتا ہے۔ جہاں دل چاہے گھومتا ہے۔ درخت سے ٹیک لگا کر تین میں سے ایک دُھن بجاتا ہے۔ پھر وہیں پیٹ پر باجا رکھ کر سو جاتا ہے۔ درویش ہر کُجا کہ شب آمد سرائے اوست۔ کسی بھی گھر میں کئی کئی دِن رہتا ہے۔ ایک بار حویلی کے چنڈو خانے میں بہت دن رہا۔ کبھی انگریز لگتا ہے تو کبھی ایشیائی متوالا ہے۔ من موجی۔ البیلا ہے۔

''ہیلو جمال۔'' دُور سے زوردار سلام آ کر جمال کی پُشت سے ٹکرایا۔ اس نے

مڑ کر دیکھا۔ خچروں کی مال گاڑی جنگل کا موڑ مڑ کر اس کے پیچھے پہنچ چکی تھی۔

''سام۔ تمہاری مال گاڑی کے ڈبے ایک دوسرے سے منسلک نہیں ہیں۔ کوئی رسا ہے نہ ڈور جو انھیں باندھے۔ کیا پچھلے ڈبے اِدھر اُدھر نہیں ہو جاتے کبھی؟''

''ہو جاتے ہیں کبھی کبھی جمال۔''

''پھر کیا کرتے ہو؟''

''پھر گاڑی اُلٹی چلنے لگتی ہے۔ انجن پیچھے لگ جاتا ہے اور ڈبے آگے چلتے ہیں۔''

''کب تک اُلٹی چلتی رہتی ہے۔''

''جب تک ڈبے چاہیں۔'' سام نے اطمینان سے کہا۔

دونوں مال گاڑی کے آگے چل رہے تھے۔ سام بے تکان بولتا تھا۔ درختوں، پرندوں، جانوروں کی باتیں، پہاڑی پر رہنے والے لوگوں کے قصے کہانیاں اور لطیفے۔ اس کی باتوں میں بچپن کا بھولپن اور جوانی کی وارفتگی ہوتی۔ وہ ایک سے دوسری بات کی کڑیاں جوڑ کر لمبی سی زنجیر بناتا اور جھنجھناتا رہتا۔ جمال اسے رشک کی نگاہوں سے دیکھتا۔ کیا یہ بے ساختگی کبھی اس کے ہاں بھی آئے گی۔ رشک خواہش بنتا۔ اس سے پہلے کہ خواہش کم مائیگی کا رونا روتی، وہ مسکرا کر اخلاقی منافقت سے سام کی باتیں غور سے سننے لگا۔

''او سیم!'' درختوں کے جُھنڈ سے کسی عورت نے پکارا۔ دونوں راستہ چھوڑ کر آواز کی طرف بڑھے۔ کچھ فاصلے پر ایک انگریز عورت گھاس پر لیٹی ہوئی تھی۔

''لیزا۔ تم یہاں؟ ہونے والا ہے کیا؟''

''ہاں۔'' عورت بولی۔

''میں تمہاری مدد کرتا ہوں۔'' سام لیزا کے زانوؤں کے قریب بیٹھ گیا۔ اس کی سکرٹ اُٹھائی۔ لیزا نے لمبا سانس بھرا۔ اور ایک نعرہ بلند کیا۔ سام نے جمال سے کہا

کہ وہ درمیانی خچر کے بائیں پہلو سے لٹکتا سیاہ رنگ کا چرمی تھیلا لے آئے جس کے منہ پر سرخ ڈوری ہے۔ جمال لپک کر خچر کی طرف بڑھا۔ تھیلا کھول کر واپس آیا تو لیزا نے زوردار آواز لگائی۔ کچھ ہی دیر میں سام بچے کو ماں سے الگ کر رہا تھا۔ اس نے بچے کو گود میں لٹا کر ایک لمحے کو رکھا۔ پھر اُلٹا لٹکا کر چوتڑوں پر ایک ہاتھ جمایا۔ بچے نے سانس اندر کھینچ کر پہلی آواز نکالی۔ سام نے آنول کو دبا کر بچے کے اندر نچوڑا۔ تھیلے سے طبی نشتر نکال کر آنول کاٹی اور پھینک دی۔ ناف پر اک سیاہ دھاگے کی گرہ لگائی۔ مرہم ملا۔ اور بچہ ماں کی چھاتیوں پر رکھ دیا۔ ایک برتن میں ربڑ کی بوتل سے گرم پانی ڈالا۔ کپڑا بھگو کر ماں اور بچے کو صاف کیا۔

''دودھ اُتر رہا ہے؟'' سام نے لیزا سے پوچھا۔

''ہاں۔''

''جب پہلا دودھ چلتا ہے تو پتا چلتا ہے؟''

''ہاں۔''

''آؤ چلیں۔'' سام نے لیزا کو اُٹھایا تو اس نے خشک ہونٹوں سے سام کا گال چوما۔

درختوں کے جھنڈ سے نکل کر سام نے لیزا کو سہارا دے کر خچر پر بٹھایا۔ جمال نے بچے کو ماں کی گود میں دیا۔ دونوں پھر مال گاڑی کے آگے چلنے لگے۔ اچانک جمال نے سام کو کہنی کا ٹھوکا دیا اور پوچھا:

''بچہ تمہارا ہے؟''

''نہیں لیزا کا ہے۔'' سام نے کہا۔

چلتے چلتے خوبصورت رنگین اور مختصر سی ہٹ آئی۔ سام نے آواز لگائی۔

''پیٹر باہر آؤ۔ تمہارے لیے سرپرائز ہے۔''

نہایت فربہ شخص نیم خوابیدگی کے عالم میں باہر نکلا۔ ڈھیلے ڈھالے لفظوں

میں دونوں کے ساتھ علیک سلیک کی کوشش کی اور لیزا کی طرف مسکرا کر ہاتھ ہلایا۔

''مبارک ہو۔ تم باپ بن گئے ہو۔'' سام نے کہا۔

''کمال ہے۔ میں باپ بن گیا اور مجھے پتا بھی نہیں چلا۔ جب پہلا بچہ ہوا، اس وقت بھی میں سویا ہوا تھا۔''

یہ کہہ کر وہ لیزا کی طرف لپکا۔ نہایت اُونچی آواز میں بچے سے لاڈ کرنے لگا تو لیزا سمیت سب کی ہنسی چھوٹ گئی۔ البتہ بچہ زور زور سے رونے لگا۔

سام نے پچھلے خچر کے ساتھ لٹکے ایک قرمزی رنگ کے تھیلے میں ہاتھ ڈالا اور ایک بوتل پیٹر کو دے کر بولا:

''عرق گلاب۔''

دونوں پھر چلنے لگے۔ سام نے پھر باتیں شروع کیں۔ اس نے بتایا کہ وہ ہیلی کاپٹر میں منوں گلاب کے پھول بھر کر لایا۔ عرق گلاب بناتے بناتے اسے خیال آیا کہ گلاب کا پرفیوم بنایا جائے۔ ''منوں گلاب سے اتنا سا پرفیوم بنا۔'' اس نے اپنی مٹھی کو چھ اِنچ تک کھولا۔

تنگ راستہ بائیں طرف مڑا تو کشادہ ہو گیا۔ پھر کُھل گیا۔ سامنے بہت بڑی عمارت تھی۔ جونہی دونوں وسیع لان میں داخل ہوئے تو اِدھر اُدھر سے بہت سے رنگوں کے فیزنٹ جمع ہوئے۔ ہلکی اُڑان بھر کر سام پر اس شدت سے پھڑ پھڑائے کہ وہ پیٹھ کے بل گر گیا۔ ہنس ہنس کر لوٹ پوٹ ہو گیا۔ پھر ایک فیزنٹ کو اُٹھا کر جمال کے پاس لایا اور بولا:

''یہ لیڈی ایمرسٹ ہے۔ حسین اور رنگین ہونے کی وجہ سے ناز و ادا دکھاتی ہے۔ آج کل یہ باقی پرندوں سے نالاں ہے۔ میں ان میں صلح کرانے کی کوشش میں ہوں۔''

سام نے لیڈی ایمرسٹ کو چھوڑا تو وہ ہلکا سا پھڑ پھڑائی۔ رنگوں کی آبشار جمال

کے سامنے گرنے لگی۔ اتنا خوبصورت پرندہ اس نے پہلے کبھی نہیں دیکھا تھا۔ سام نے خچروں سے سامان اُتارنا شروع کیا۔ جمال نے سواری کا خچر دیکھا۔ اس کی آنکھوں میں حسبِ معمول اطمینان اور شرارت کی چمک تھی۔

''یہ کیا جگہ ہے؟'' جمال نے عمارت کی گمبھیرتا پر نظر ڈالتے ہوئے پوچھا۔

''یہ کارخانہ ہے۔''

''کیسا کارخانہ۔ یہاں کیا بنتا ہے؟''

''ادویات، کپڑے، اوزار، زیورات وغیرہ۔''

''سب کچھ ایک ہی جگہ بنتا ہے؟''

''نہیں لگ الگ کمروں میں مختلف کام ہوتا ہے۔''

''یہ کارخانہ تمہارا ہے سام؟''

''کیا مطلب؟'' سام اچانک پلٹا تو اس کے ہاتھ سے پانی کی چھاگل چھلکی اور پانی ڈُھک ڈُھک بول کر لان کا گھاس بھگونے لگا۔

''تمہارا نہیں ہے؟''

''کیا مطلب؟''

''میرا مطلب ہے کہ یہ کارخانہ کس کا ہے؟''

''سب کا ہے۔ کالی پہاڑی والوں کا ہے۔'' سام تھیلے اُٹھا کر وسیع وعریض برآمدے کی طرف چلنے لگا۔ جمال نے بھی کچھ سامان اُٹھایا اور اس کے پیچھے پیچھے ہولیا۔ سیڑھیوں اور برآمدے کے فرش پر سنگِ مرمر کی چنائی تھی۔ پتھر کی موٹی دیواروں کا رنگ سُرمئی تھا۔ برآمدے کے بائیں جانب سن روم تھا۔ صدر دروازے سے اندر داخل ہوئے تو جمال نے دیکھا کہ گیلری کے ہر دو جانب بڑے بڑے ہال نما کمرے تھے۔ اُونچی چھتوں اور کھلے دروازوں والے۔ وکٹورین طرزِ تعمیر کے ان کمروں کی چھتیں لکڑی کے

پینلز سے بنی تھیں جن کے بیچوں بیچ وسیع روشن دانوں کے اُبھار بلند ہوتے تھے۔ ہر کمرے میں آتش دان تھا۔ کھڑکیوں میں جھانکیں تو دیواروں کی ضخامت کا اندازہ ہوتا تھا۔لکڑی کے فرش پر چلیں تو کہیں کہیں کھوکھلاہٹ کے باعث قدموں کی آواز بدلتی تھی۔ اس طبلے کی طرح جو ہتھوڑی کے جھٹکوں سے پہلے کا لے سُر پر سیٹ کیا جا رہا ہو۔ ایسے گھر تو گرمیوں میں ٹھنڈے ہوتے ہیں۔ سردیاں آ رہی ہیں، یہ کارخانہ تو برف خانہ ہوگا۔ جمال کپکپاتا ہوا ڈرائنگ روم میں داخل ہوا اور ایک صوفے پر بیٹھ گیا۔ شام ہونے کو تھی۔ سام ٹرالی میں چائے لے کر آیا۔ میز پر دھرے کینڈل سٹینڈ کی دو شمعوں کو شعلہ دیا۔ دونوں خاموشی سے چائے پینے لگے۔ سام کو خاموش دیکھ کر جمال حیران ہوا۔ وہ سارا دن نہ جانے کتنے میل چلتے رہے گا۔ گھر یہاں سے کتنی دُور ہوگا، جمال نے سوچا۔ شینا کیا کر رہی ہوگی؟

''گھر یہاں سے کتنی دُور ہوگا؟'' جمال نے سام کی طرف دیکھ کر کہا۔

''کون سا گھر؟''

''میرا؟''

'کون سا گھر؟''

''وہی حویلی۔ جہاں سے میں تمہارے ساتھ چلا تھا۔''

''مگر تم تو جنگل سے میرے ساتھ چلے تھے۔''

''وہ حویلی ہی کا جنگل ہے سام۔''

''اچھا اچھا۔ وہ حویلی۔''

''ہاں وہی میرا گھر ہے، وہاں مُندری والا اور شینا بھی رہتے ہیں۔''

''اچھا وہ خوبصورت لڑکی، جس کی ماں انگریز ہے۔'' سام نے روانی میں کہا تو جمال کو بہت بُرا لگا۔ یہ بلّا بیراگی شینا کو خوبصورت سمجھتا ہے تو یقیناً اس پر آنکھ بھی رکھتا ہو

گا۔ یہ خود بھی انگریز ہی لگتا ہے۔ مگر شینا بہت سمجھدار لڑکی ہے اور میرے ساتھ بہت مانوس ہے۔ یہ رمتا جوگی واہی تباہی بکتا رہتا ہے۔ نادانستگی میں اسے خوبصورت کہہ گیا، چلو دفع کرو۔ یہ سوچتے سوچتے جمال چلتا ہوا لان میں آیا۔ شام پھیل کر سُرمئی ہو رہی تھی۔ ڈوبتی روشنی میں عمارت کا ہیولا اور زیادہ بارُعب ہو گیا تھا۔ یہ عمارت یقیناً اسی سام سیلانی کی ہے۔ کیا پُرشکوہ عمارت ہے۔ جنگل میں منگل ہے۔ منعم بہ کوہ و دشت و بیاباں غریب نیست۔ رات کا کھانا کھاتے ہوئے جمال نے ہچکچاتے ہوئے پوچھا:

''شینا کی ماں انگریز ہے کیا؟''

''ہوں۔''

''کہاں رہتی ہے؟''

اس سوال پر سام نے اسے حیرانی سے دیکھا اور ایک کمرے کی طرف اِشارہ کیا۔ مگر جمال کو سخت حیرت ہوئی جب سام نے کہا۔

''اس کمرے میں جا کر سو جاؤ۔ تھک گئے ہو شاید۔''

□□□

صبح کے وقت جمال عمارت میں اِدھر اُدھر گھوم پھر رہا تھا۔ ایک کمرے میں داخل ہوا۔ جڑی بوٹیوں کی سفوفی مہک نے استقبال کیا۔ شیشے کی الماریوں، میزوں اور ریکس میں انواع واقسام کی جڑی بوٹیاں اور جانوروں کی حنوط شدہ لاشیں پڑی تھیں۔ کل باتوں ہی باتوں میں سام نے اسے بتایا تھا کہ وہ بِندال اور چوکر سے ایک کثیر المقاصد دوائی بناتا ہے، اس نے عرقِ گلاب اور پرفیوم بنانے کا ذِکر بھی کیا تھا۔ مگر جمال کو یہ اندازہ ہرگز نہیں تھا کہ وہ بڑے پیمانے پر یہ کام کرتا ہے۔ جمال کو اپنے دادا یاد آئے جو زُبدۃ الحکماء تھے۔ علاقے کے مانے ہوئے معالج اور کئی ادویات کے موجد۔ جب وہ شیروانی اور ترکی ٹوپی پہن کر مطب میں داخل ہوتے تو ان کی تمکنت کے زیرِ اثر تمام لوگ اُٹھ کھڑے ہوتے اور جھک کر آداب بجالاتے۔ ان کا نام حکیم کمال الدین چوہدری تھا۔ اسمِ بامسمیٰ تھے۔ کمال کے حکیم تھے۔ ان کے وسیع وعریض مطب میں مریض دور سے چلتا ہوا آتا۔ آدھی تشخیص تو چال ڈھال دیکھ کر ہو جاتی تھی۔ جمال ان کا چہیتا تھا۔ مطب ہی میں بڑا ہوا تھا اس لیے اسے بہت سی جڑی بوٹیوں کا علم تھا۔

اس نے شیشوں، مرتبانوں اور بیکروں کو دلچسپی سے دیکھنا شروع کیا۔ کئی

74

بوٹیوں، پتھروں اور جانداروں کے نام شیشوں پر چسپاں تھے۔ گاؤ مہرہ۔ گاؤ زبان۔ ریگ ماہی۔ سنگِ ماہی۔ سنگِ مردہ۔ سنگِ یشب ایک قطار میں رکھے ہوئے تھے۔ ایک الماری میں چندن۔ بال چھڑ۔ ہینگ شیشے کے عقب سے جھانک رہے تھے۔ ایک جگہ خشخاش۔ بہمن سرخ۔ بہمن سفید۔ زعفران اور کافور دھرے ہوئے تھے۔ نچلے خانے میں گل قند۔ آبِ گل، سہاگا اور سمندر جھاگ رکھے تھے۔ اس کے نیچے زرد محلول میں بچھو۔ کینچوے اور مختلف اقسام کے سانپ کنڈلی مارے جامد و ساکت تھے۔ میز پر جانوروں کے سینگ اور سینگیاں دھری تھیں۔ فرش پر مختلف سائز کے سل بٹے۔ ہاون دستے۔ اوکھلی اور موسل پڑے تھے۔ جن میں پسے ہوئے سفوف کے ریشے اور تلچھٹ تھی۔ دیوار پر مختلف جسامت کی ہانگیاں لٹکی ہوئی تھیں۔ سامنے کی دیوار اور کارنس پر مختلف قسموں کے مقیاس تھے۔ مقیاس الحرارت، مقیاس اللبن، مقیاس الماء، مقیاس المطر، مقیاس الھوا۔ کمرے کے ایک کونے میں مختلف سائز کے پہیے تھے اور ایک دُھرا دیوار میں چھید کرتا ہوا عمارت سے باہر پائیں باغ میں نکل گیا تھا۔ یہ کیا ہے؟ پائیں باغ میں چل کر دیکھنا چاہیے۔ جمال کمرے سے نکلا۔ گھوم کر پائیں باغ میں پہنچا۔ ایک بہت بڑی پون چکی دھیرے دھیرے اپنے پنکھ ہلا رہی تھی۔ دھرا اس سے منسلک تھا۔ خوب! وِنڈ انرجی سے دوائیاں پیسی جاتی ہیں یہاں۔ سام اپنا کام سمجھتا ہے۔ مگر ایک بات طے ہے کہ حاذق حکیم بننے کے لیے پِتہ پانی کرنا پڑتا ہے۔ کیمیا گری کو سمجھنا پڑتا ہے۔ پھر کہیں جا کر جڑی بوٹیاں اپنا راز افشا کرتی ہے۔ اس کے بعد حکیم کے نشست و برخاست میں تمکنت اور رُعب در آتا ہے۔ جیسے دادا کے ہاں تھا۔ ہر پروفیشنل کا ایک رکھ رکھاؤ ہوتا ہے۔ انسان اپنے چہرے مہرے سے پہچانا جاتا ہے۔ قصاب کے چہرے پر وحشت کٹتے گوشت اور ٹوٹتی ہڈیوں کی وجہ سے ہوتی ہوئی اس کے ہاتھوں کے ذریعے چہرے کے تیوروں میں سرایت کرتی ہے۔ آرٹسٹ کے چہرے پر ایک بے نیازی اور نور ہوتا ہے۔ جو کینوس کی لکیروں اور صریرِ خامہ سے

لرزش کرتا ہوا فنکار کے چہرے پر پھیلتا ہے۔ رقاص اور موسیقار کا چہرہ سُر میں ہوتا ہے جو پاؤں کی دھمک سولہ ماتروں اور بارہ سُروں کی آمیزش سے اپنے خال وخد بناتا ہے۔ اسی طرح حاذق حکیم کے چہرے پر جلال اور چال ڈھال میں تمکنت جھلکتی ہے جو زمین کے خزانوں کو چُھونے سے پوروں کے ذریعے چہرے کی طرف رجوع کرتی ہے۔ اب اس سام سیلانی کو دیکھو۔ چہرے مہرے سے حکیم تو کیا ایلو پیتھک ڈاکٹر بھی نہیں لگتا۔ گویا بندر کو ملی ہلدی کی گرہ۔ پنساری بن بیٹھا— جمال یہ سب سوچتا رہا اور پن چکی کے گھومتے پنکھ دیکھتا رہا— کل شام میری نظر اس پون چکی پر کیوں نہ پڑی؟ شاید تھکاوٹ زیادہ تھی یا شاید فینز نٹ بہت زیادہ رنگین تھے۔ مگر اس پن چکی کو تو دُور سے نظر آ جانا چاہیے تھا۔ شاید میں لیزا کے بچے کے بارے میں سوچ رہا تھا۔ خیر چھوڑو۔ اس نے وسیع پائیں باغ میں نظر دوڑائی۔ فینز نٹ کھیل رہے تھے۔ ایک طویلے میں سات خچر۔ آٹھ گائیں اور چار پہاڑی بکریاں مراقبے کے عالم میں تھیں— مگر سام سیلانی ہے گُنی آدمی۔ بے پرواہ سا ہے، مگر سیانا ہے۔ مارا ازیں گیاہِ ضعیف ایں گماں نہ بود۔ شاید بعض اوقات انسان چہرے سے نہیں پہچانا جا سکتا۔ وہ اِدھر اُدھر گھومتا ہوا ایک کمرے میں داخل ہوا۔ سام بے سدھ سویا ہوا تھا۔ دائیں پہلو پر دائیں ہتھیلی سر کے نیچے تھی۔ بایاں ہاتھ پلنگ کے نیچے لٹک رہا تھا۔ اس کے چہرے پر بچپن کا بھولپن اور گلیشیر سے پگھلے ہوئے پہلے پانی کی سی سادگی تھی۔

□□□

ذرا دن چڑھا تو بہت سے لوگ کارخانے میں آنے لگے۔ عورتیں، مرد اور بچے مختلف کمروں میں کام کرنے لگے۔ مطب میں دوائیاں تیار ہونے لگیں۔ اس کے ملحقہ کشید خانے میں بڑے بڑے لوہے اور پیتل کے ظروف اور دھوپ دان۔ نیچے جلتی ہوئی آگ سے تپنے لگے۔ سوراخ دار ڈھکنوں سے دُھواں اُٹھنے لگا۔ خوشبو اور نم سے بھرا ہوا۔ آمیز گروں کے آہنی دستوں پر ہاتھ اُوپر نیچے چلنے لگے۔ ٹونٹیوں کے آگے شیشے کے بیکر رکھے گئے تاکہ قطرہ قطرہ کشید جمع کی جاسکے۔

ایک بڑے کمرے میں مختلف اوزار بنائے جا رہے تھے۔ بنائے کیا جا رہے تھے، گھڑے جا رہے تھے۔ اب یہ کوئی اسٹیل مِل تو تھی نہیں جہاں خام لوہا پگھلا کر سانچوں میں ڈالا جاتا۔ لوگ کالی پہاڑی کے مختلف گھروں سے لوہے کے ٹکڑے اور چھیلن، ایلومینیم کے ریزے اور کترن اور پیتل کے ٹکڑے جمع کر کے یہاں لے آتے پھر برابر کرتے اور باڑھ نکالتے تھے۔ نہانیاں، کدالیں، کھرپے، پھاوڑے، بیلچے، کسیاں، ہتھوڑیاں، آرے، کروتیں اور دیگر آلات بنائے جاتے۔ اصل میں ان اوزاروں کے پھل بنائے جاتے تھے۔ البتہ ان کے دستے جنگل کی نئی لکڑی سے تراشے جاتے۔

ایک بڑا ہال ٹیکسٹائل مِل تھا۔ سوت اور ریشم ہیلی کاپٹر سے آتا اور یہاں لگی ہوئی کھڈیوں پر بُنا جاتا۔ تانے بانے میں چابک دستی سے پوریں چلتیں۔ چادریں، کھیس، کفن، نمدے، چٹائیاں، قالین، طرح طرح کے پارچے بنتے۔ چند درزی ہاتھوں سے سوزن کاری کرتے تھے۔

ایک بڑے کمرے میں انواع و اقسام کی لکڑیوں کے انبار تھے۔ چتائیں جلانے کے لیے صندلی لکڑیاں الگ رکھی تھیں۔ آتش دانوں میں جلانے کے لیے لکڑیوں کے گٹھے بندھے ہوئے موسمِ بہار کے انتظار میں تھے۔ جب برف کی ہلکی چادر اوڑھ کر کالی پہاڑی دھوپ اُٹھاتی تھی۔

مستطیلی کمرے میں سونے چاندی اور پتھروں پر کام ہو رہا تھا۔ سناروں کی ہلکی ہتھوڑیاں سونے کے پترے پھیلا رہی تھیں۔ عقیق، نیلم، پکھراج اور الماس تراشے جا رہے تھے۔ گہری سیاہ رنگ آنکھوں والی ایک بچی نے ریشم کی ڈوری پر الماس جڑا سونے کا چھوٹا سا پترا آویزاں کیا۔ قریب کھڑے ایک سفید فیزنٹ کو پکڑ کر اس کی ٹانگ سے باندھ دیا۔

جمال نے سوچا کہ ہر سیکشن کا ایک فورمین ضرور ہوگا۔ یا ورک منیجر۔ جو مصنوعات کی کوالٹی کو کنٹرول کرنے کے علاوہ اکانومی آف سکیل کا بھی خیال رکھتا ہوگا۔ ایک اکاؤنٹینٹ بھی ہوگا ہر کمرے میں۔ جو کاسٹ اکاؤنٹنگ کا ماہر ہوگا۔ مگر یہ انتظام کیا خاک ہوگا جب ایک پرندے کے پاؤں میں سونے اور ہیرے کی پائل ہے۔ لوگ اپنی مرضی سے کام کر رہے ہیں۔ کبھی کام کرتے ہیں تو کبھی باہر جا کر ٹہلنے لگتے ہیں۔ کچھ لوگ باہر جا کر واپس ہی نہیں آتے۔ چائلڈ لیبر بھی جاری ہے جو انتہائی گھناؤنا فعل ہے اور ساری دُنیا اسے حقارت کی نظر سے دیکھتی ہے۔ اخباروں میں آرٹیکل لکھے جاتے ہیں۔ ٹاک شوز میں گرما گرم بحث ہوتی ہے۔ کئی ممالک کی مصنوعات اس کلنک کی وجہ

سے بِک نہیں پاتیں۔ ہاں البتہ جینڈر بیلنس ضرور ہے۔ بہت سی عورتیں مردوں کے شانہ بشانہ کام کر رہی ہیں۔ مزدوروں کے حقوق کا یقیناً خیال رکھا جاتا ہوگا۔ کام کرنے والوں کے شانت چہرے دیکھ کر اس بات کا اندازہ ہوتا ہے کہ وِتیج سٹرکچر ٹھیک ٹھاک ہے اور مزدوری کے اوقات متعین ہیں۔ اسی لیے کل شام یہاں کوئی بھی نہیں تھا اور اب کارخانہ مزدوروں سے بھرا ہوا ہے۔ لیبر قوانین کا بھی خیال رکھا جاتا ہوگا۔ لیبر یونین، آجراجیر اور بارگیننگ ایجنٹ کا بھی کوئی نظام ہوگا۔ ممکن ہے تمام مزدوروں کو لنگر بھی تقسیم کیا جاتا ہو۔ سو کے قریب لوگ تو ہوں گے یہاں۔ خاکی ڈانگری پہنے ہوئے ایک لحیم شحیم شخص بڑی مستعدی سے ہر کمرے اور ہال کا مسلسل چکر لگا رہا ہے۔ کبھی ایک جگہ کھڑا ہو کر کسی کام کو غور سے دیکھتا ہے تو کبھی دوسری جگہ۔ تیزی میں لوگوں سے باتیں کر کے شاید ضروری ہدایات جاری کرتا ہے۔ اس شخص کا پیچھا کرنا چاہیے۔ یہ کارخانے کا منتظم نظر آتا ہے۔

''اجی سنیے'' جمال نے اس شخص کو پکارا۔ مگر اس نے سنی اَن سنی کی اور جمال کو دیکھے بغیر آگے نکل گیا۔ جمال اس کے انہماک اور فرض شناسی سے بہت متاثر ہوا۔ اس نے کئی بار اس سے بات کرنے کی کوشش کی مگر وہ شخص اِدھر اُدھر پھرتا رہا۔ پھر پائیں باغ کی طرف نکل گیا۔ ناندوں میں چارا ڈالا۔ جانوروں سے ان کی آواز میں باتیں کیں اور پھر سے کمروں کے چکر لگانا شروع کیے۔ جمال پیچھے پیچھے۔ ڈانگری والا ایک جولاہے کے پاس رُکا۔ اس کے کان میں تیزی سے کچھ کہا۔ جولاہے نے بُنت روک کر اس کی بات غور سے سنی اور مسکرا دیا — یہ سازشیں تو ہر اس جگہ ہوتی ہیں جہاں چار آدمی جمع ہوں — جمال نے سوچا۔ جولاہے نے کام سست کر دیا۔ جمال نے یہ حرکت غور سے دیکھی — ہوں! گوسلو!! یہ مزدوروں کے ہتھیار ہوتے ہیں اپنے مطالبات منوانے کے لیے۔ یہ ڈانگری والا یقیناً سپروائزر ہے۔ سام نے سارا کام اس کے سپرد کیا ہوا ہے۔

جبھی پلنگ سے باز ولٹکا کے خوابِ خرگوش کے مزے لیتا ہے۔

ناشتے کی ٹرے ہاتھ میں اُٹھائے سام ٹیکسٹائل یونٹ میں نمودار ہوا اور جمال کو پیچھے آنے کے لیے کہا۔ باہر لان میں بیٹھ کر دونوں ناشتہ کرنے لگے۔ سورج چڑھ آیا تھا مگر گھاس میں خنکی جاگ رہی تھی۔ لیڈی ایمرسٹ پنکھ پھڑ پھڑا کر قریب آ گئی۔

''ہیلو لیڈی۔'' یہ کہہ کر سام نے روٹی کے چند ٹکڑے اس کی طرف پھینکے۔ ڈانگری والا تیزی سے چلتا ہوا سام کے پاس آیا اور اس کے کان میں کچھ کہہ کر واپس چلا گیا۔

''یہ گھن چکر کون ہے؟'' جمال نے پوچھا۔

''مستانہ ہے۔ رنگیلا ہے۔''

''کائیاں ہے۔ اس پر نظر رکھا کرو۔ میرا مشورہ ہے۔'' جمال نے تنبیہہ کی تو سام نے کہا۔

''اچھا۔''

تین خچروں کی مال گاڑی چلی جا رہی تھی۔ سام اور جمال آگے آگے پیدل چل رہے تھے۔ لزا اور پیٹر کا گھر دھوپ میں چمک رہا تھا۔ ایک جگہ سام رُک گیا۔ ایک شخص رُخساروں پر کیس بکھرائے کھیت نما کیاری کی گوڑائی کر رہا تھا۔ سام نے چرمی تھیلے سے کسّی کا پھل نکالا، اس میں دستہ گاڑا اور گوڑائی میں شریک ہو گیا۔

''تمھیں میں نے ایک چھوٹا ہل دیا تھا اور پنجالی۔ وہ کہاں ہیں؟'' سام نے پوچھا۔

''اندر ہیں۔'' بالوں والے نے کہا۔

''تو باہر لاؤ۔''

سام نے دو خچروں کا سامان اُتارا۔ ان پر پنجالی لگائی اور ہل چلانے لگا۔ خچر

بڑے مزے سے بیلوں کا کام کرتے رہے۔ البتہ ان کی چال میں بیلوں سی روانی نہیں تھی۔ کھیت تازہ مٹی کے پلٹاؤ سے سوندھی سوندھی مہک دینے لگا۔

''بس ٹھیک ہے۔ کام ہو گیا۔'' کھیت مالک نے ڈھلکے ہوئے بال گھما کر سر پر جمائے۔ جھاڑی پر رکھا سبز کپڑا اُٹھایا اور جھول جھول کر سر پر پگڑی باندھنے لگا۔ سام نے سامان خچروں پر لادا۔

''ہیو اے نائس ڈے۔''

''ست سری اکال۔'' سام کو جواب آیا۔

چلتے چلتے جمال نے ایک چھوٹے سے گھر سے ہارمونیم کی ایک سُری آواز اور طبلے کی ٹک ٹک سنی تو رُک گیا۔ سام نے مڑ کر دیکھا۔ دونوں گھر میں داخل ہوئے۔ ایک بڑا کمرہ تھا۔ دو چار پائیوں پر بستر لگے ہوئے۔ تین دبیز گدے پلستری فرش پر سلوٹوں بھری سیاہ چادریں اوڑھے اُونگھ رہے تھے۔ زرد روئیں دار دری ایک کونے میں بچھی تھی۔ جس پر دیوار کے سہارے دو گاؤ تکیے یوں زاویہ لیے ہوئے تھے جیسے کمرہ ملاحظہ کر رہے ہوں۔

دوسرے کونے میں ایک نمدہ نما قالین اپنی وسعت پر ساز و سامان سجائے تھا۔ سارنگی، سرمنڈل، ہارمونیم، ستار، گٹار، طبلے، دف، مجیرے اور ایک طرف ڈرم اور اونگا بونگا۔ چھریرے اور صندلی بدن کا ایک شخص ہتھوڑی اور اُنگلی کے جھٹکوں سے طبلہ سُر میں لا رہا تھا۔ ایک ڈھلکے بدن اور ٹھہری آنکھوں والا شخص ہارمونیم پر گاہے گاہے بھیرویں کی آروہی اور امروہی دکھاتا اور پھر اپنی اُنگلی کومل گندھار پر روک لیتا۔ پاس ہی ایک اور پستہ قد آدمی جلترنگ کے پیالے سجانے میں مصروف تھا۔ چینی کے ایک پیالے میں پانی کا کومل گندھار تھا۔ وہ ہارمونیم اور طبلے پر کان لگا کر پیالے کو لکڑی کی تیلی سے تھپتھپا کر کومل گندھار کھوج رہا تھا۔ اس کا چہرہ غیر مطمئن تھا۔ اس نے گندھار پیالہ اُٹھایا۔ چند

قطرے پانی پیا، پیالہ رکھا۔ تھپتھپایا۔ چہرہ قدرے مطمئن ہوا۔ قریب پڑے بڑے پیالے سے بچوں کی دوائی کا ڈراپر بھرا اور بڑے اہتمام اور احتیاط سے چھوٹا سا قطرہ پیالے میں ٹپکا کر پھر ایک بار تیلی سے تھپتھپایا۔ جونہی شدھ گندھار گونجا تو پستہ قامت کا چہرہ پھول کی طرح کھل اُٹھا۔ اس کے دانتوں کی کم مائیگی نمایاں ہوئی۔ دہن میں ایک تہائی دانت ہوں گے شاید۔ ہارمونیم آہستہ آہستہ بجنے لگا۔ مادہ طبلے کو انگشتِ شہادت نے پور سے جگایا۔ نر طبلے کو بڑی اُنگلی نے گدگدایا۔ جلترنگ کی پیالیاں گھنٹیاں بن گئیں۔ لَے بڑھی۔ طبلے کو ایڑ ملی اور وہ دلکی چال سے نکل کر سرپٹ دوڑنے لگا۔ سام کمرے میں ٹہلنے لگا۔ جمال نمدے پر بیٹھ گیا۔ طبلہ سرپٹ دوڑ رہا تھا۔ عربی گھوڑے کی طرح۔ جمال کو محسوس ہوا جیسے صحرا میں دھول اُڑ رہی ہے۔ غبار سے سیاہ گھوڑا نمودار ہوا۔ سرپٹ دوڑتا ہوا۔ شہ سوار مٹھی میں باگ لپیٹے اس کی جانب بڑھ رہا تھا۔ سر پر سیاہ خود کا کلس چمک رہا تھا۔ سُرمئی زرہ بکتر پر جڑے سنہری کوکے جل بجھ رہے تھے۔ میسرہ اور میمنہ سے گھوڑوں کا ایک اور غول غبار سے نکلا۔ گھوڑوں کے سُم تین تال کے ہر ماترے پر پتھر سے چنگاریاں اور ہر سَم پر شعلہ نکالتے تھے۔ تلواریں نیاموں سے باہر نکلیں، جن کی آب پر کرنیں پھسلیں۔ لشکر جمال کی طرف بڑھ رہا تھا۔ جب ہارمونیم اور جلترنگ کا آخری سُر اور طبلے کا آخری سم بجا تو اسی اثناء میں سیاہ گھوڑے پر سوار شخص نے تلوار دائرے میں گھما کر راہ میں کھڑی جمال کی گردن سے گزاری۔ سر گھوڑے کی رفتار سے ہوا میں اُچھلا۔ آوازیں رُک گئیں تلوار کا بھرپور وار بائیں ہاتھ سے تھا۔ سر کو میمنہ نے کچلا اور جسم کو میسرہ نے روندا۔ جمال ہوش میں آیا۔ اگلا جنم تھا شاید۔ بڑے پیالے سے غٹا غٹ پانی پیا۔ ڈراپر پیالے کی تہہ میں تھا۔ ہارمونیم بجانے والے کی لمبی اُنگلیاں ہانپ رہی تھیں۔ طبلہ نواز کے ہاتھ بے ڈھب تھے۔ جیسے ادرک کی پوتھی سے تراش کر بنائے گئے ہوں۔ لشکر صحرا سے گزر گیا تھا۔ دھول بیٹھ گئی تھی۔ جمال رونے لگا۔ جیسے اپنی ہی لاش پر

ماتم کناں ہو۔

''آپ بہت اچھے سنویئے ہیں۔'' ہارمونیم نواز نے ڈھارس بندھائی۔

''آپ بہت شاندار گویّے ہیں۔'' جمال نے ہچکچاتی آواز میں کہا۔

''مگر میں نے تو نہیں گایا۔ بس بجایا ہے ہم نے۔''

''تو پھر گا کون رہا تھا؟ صحرا یا شاید لشکر!''

سام دلچسپی سے گفتگو سن رہا تھا۔ قریب کھڑا مسکرا رہا تھا۔ بولا۔

''آئی لَو ایسٹرن میوزک۔ یہ وجدانی موسیقی ہے۔ ہوا میں گرہ لگاتی ہے۔ ریلے کی طرح بہالے جاتی ہے۔ اس میں صوفیوں کے پشمینے کا رنگ اور رشیوں کی راتوں کی تپسیا ہے۔ اس میں مزاروں کی سبز چادروں کی خوشبو اور اگربتیوں کا دُھواں ہے۔ اس میں کرشن کی نے نوازی کی حکایت اور گوپیوں کے رقص کی شکایت ہے۔ اس میں سونینا کی وارفتگی ہے۔''

''یہ سونینا کون ہے؟'' جمال نے پوچھا۔

''آؤ اس کے پاس چلیں دریا پر۔ ماس ماسٹر اور بابو بنگالی! تم اپنے ساز بھی ساتھ لے آؤ۔'' سام نے ہارمونیم اور طبلہ نواز سے کہا۔

''ساز و سامان تو اس کے پاس ہے۔ خچر لاد کر لے جانے کا کیا فائدہ۔'' ماس ماسٹر بولا۔ بابو بنگالی نے ہاں میں ہاں ملائی۔

''تم بھی چلو گھنٹالی۔'' سام نے پستہ قد جل ترنگ نواز سے کہا۔

''بس تم جاؤ۔ مجھ سے اب وہ دیکھی نہیں جاتی۔'' گھنٹالی نے چلم سے بہت گہرا دُھواں نکالتے ہوئے کہا۔

□□□

مال گاڑی چل پڑی۔ راستے میں سام نے بتایا کہ ماس ماسٹر بہت بڑا موسیقار ہے اور بابو بنگالی عظیم طبلہ نواز۔ دونوں موسیقار خچروں پر سوار تھے۔ جمال اور سام آگے آگے چل رہے تھے۔ بہت دیر چلتے چلتے راستے میں ایک سرائے آئی جس کا وسیع وعریض برآمدہ تھا۔ چند لوگ چارپائیوں پر سوئے ہوئے تھے۔ کچھ لوگ کرسیوں پر بیٹھے گپ شپ میں مصروف تھے۔ کچھ کھانا کھا رہے تھے۔ ان چاروں نے سیر ہو کر کھانا کھایا۔ کچھ دیر چارپائیوں پر پڑے اُونگھتے رہے۔ پھر چل پڑے۔ دُور سے حویلی نظر آئی — کیا شینا مجھے یاد کرتی ہوگی؟ سوچتی تو ہوگی کہ کہاں گیا — جمال نے سوچا۔ راستے میں طرح طرح کے لوگ ملے۔ حسبِ معمول اپنے حال میں مگن۔ راستے میں ماس ماسٹر اکثر گنگناتا رہا۔ اس کا چہرہ ساکت مگر ہونٹ غیر معمولی حرکات کرتے تھے۔ بابو بنگالی خچر کی زین پر تال دیتا تھا۔ جمال مڑ مڑ کر انھیں دیکھتا اور سوچتا۔ سچ ہی کہا ہے کہ گانے والے کا منہ نہیں رہتا اور ناچنے والے کے پیر۔

دریا کے کنارے ایک کمرہ تھا۔ پن چکی کے زور پر کمرے میں گیہوں پیسا جاتا تھا۔ چکی رہانے کے اوزار ایک کونے میں تو موسیقی کے آلات بالمقابل پڑے تھے۔

سونینا اور سلوچنا دو بہنیں تھیں۔ آٹا پیستی اور گانا گاتی تھیں۔ رقص کی بھی ماہر تھیں۔ یہ جمال کو راستے میں علم ہوا۔

''سنگیت ہو۔'' ماس ماسٹر نے ایک گدے پر نیم دراز ہوتے ہوئے گاؤتکیہ اپنے پہلو میں لیا۔

دونوں بہنوں نے ماتھے پر بندیا لگائی۔ چوٹیوں میں موتیے کے پھول گوندھے جو شاید آج ہی ہیلی کاپٹر پر آئے تھے۔ ماس ماسٹر نے ستار کاندھے سے لگایا اور اُنگلی پر جڑے مضراب سے تار جھنجھنائے تو بابو بنگالی کی اُنگلیوں نے سوئے ہوئے طبلے کی کھال کو جگایا۔ جمال کو حیرت ہوئی جب سام نے جیب سے بانسری نکالی اور ہونٹ سکیڑ کر ستار کے سُروں میں سُر ملایا۔ اس کے ہونٹوں کے چھید شینا جیسا تھا۔ جب شینا نے کہا تھا—— چھید کھولو۔ سونینا نے پگ میں گھنگھرو باندھے جو ٹخنوں سے اُٹھ کر آدھی پنڈلی تک جاتے تھے۔ ستار اور بانسری کے دھاروں نے دوآبہ بنایا۔ مختصر الاپ کے بعد سلوچنا نے طرز چھیڑی:

بیاں ناں دھرو ، بلما

نہ کرو موسے رار

ماس ماسٹر نے ٹھہری نظروں سے بابو بنگالی کو دیکھا۔ طبلے کی کھال پر اُنگلیوں کے پنچھی پھڑ پھڑائے۔ دھبدھباہٹ کے ساتھ تال کا پہاڑی ریلا سنگیت کے دوآبے میں شامل ہوا تو سم کے ساتھ سونینا کا پہلا پیر پرتھوی سے ٹکرایا۔ جھنکار کی آبشار جمال کی سماعت پر پڑی تو اس کے رونگٹے کھڑے ہو گئے۔ کمرہ رقص اور موسیقی سے لرزنے لگا۔ نرتکی کے سارے غمزہ وعشوہ وادا سونینا کے انگ انگ سے یوں پھوٹ رہے تھے جیسے اس کے جسم کا ہر مسام گیت کے ہر بول اور سنگیت کے ہر مد وجزر کا جواب دے رہا ہو۔ استھائی کے بعد میوزک انٹرول گونج رہا تھا۔ رقص بھاؤ بتا رہا تھا۔ گیت کے مضمون کا نقشہ کھینچ رہا

تھا۔ مدھوبن میں کرشن لیلا ہو رہی تھی۔ برج بالا نے رادھا کے بازو جکڑ رکھے تھے۔ وہ نیم دِلی سے چھڑا رہی تھی۔ یہ شوق بھی تھا کہ کرشن اسے جکڑے رکھے۔ یہ خوف بھی تھا کہ کہیں جکڑے ہی نہ رکھے۔ کرشن راڑ کر رہا تھا۔ رادھا چھڑا رہی تھی۔ گوپیاں ناچ رہی تھیں۔ گوکل اور متھرا میں متھانیاں گھوم گھوم چل رہی تھیں۔ دودھ بلویا جا رہا تھا۔ مکھن نکالا جا رہا تھا۔ ماکھن چور کے لیے۔ ہوا میں اُٹھے ہوئے پاؤں زمین پر گرے تو انترا طلوع ہوا:

ڈھلے گی چُنریا تن سے
بجیں گی رے چوڑیاں چھن سے
مچے گی جھنکار

پھر وہی نرت۔ وہی بھاؤ۔ کلائیاں ٹکرائیں تو چوڑیاں چھنکیں۔ ٹخنے ملے تو گھنگھرو کھنکے۔ پنڈلیوں سے پنڈلیاں ملیں تو سام نے بانسری ہونٹوں سے جدا کی۔ اس نے پنڈلیوں سے پنڈلیاں ملتے ہوئے دیکھیں۔ یہ کون سا بھاؤ بتایا جا رہا ہے جیس کرائسٹ! او میرے خدا۔ یہ کیا بدشگونی ہے۔ اس نے بانسری اپنی جیب میں رکھ لی اور پتھر کا ہو گیا۔ ستار کے تار جھنجھنا رہے تھے۔ مضراب کا ہالا گونجتے تاروں کے گرد اپنی گرد اُڑا رہا تھا۔ طبلے کی کھال کانپ رہی تھی۔ سلوچنا کی خوبصورت آواز سنگیت سے ہم آہنگ تھی۔ ناچتے ناچتے سونینا کمرے سے باہر نکل گئی اور اس کے پیچھے سام۔ شام کا سورج ارغوانی تھا۔ گھنگھرو گہنا گئے۔ تال کے آخری سم پر سونینا کا دایاں پاؤں دھپ سے زمین پر پڑا۔ گرد اُڑی۔ گھنگھروؤں پر بیٹھتی رہی۔ سونینا ہانپ رہی تھی۔ سام دیکھتا ہوا بیٹھ گیا۔ سونینا اس کے سینے سے ٹیک لگا کر ہانپتی رہی۔ سام نے سونینا کے ہونٹوں کو چوما۔ سام کے آنسو سونینا کے رُخسار پر ٹپکے پسینے میں جذب ہوئے۔ سام نے اس کے گھنگھرو کھولے اور زور سے جھاڑے، گھنگھروؤں سے گرد اور درخت سے پرندے اُڑے۔

''سام! جب اگلا آدھا چاند ہوگا تو میں پوری ہو جاؤں گی۔ مر جاؤں گی۔''

''تمہیں کیسے پتا ہے؟'' سام نے جھوٹ موٹ کہا۔

''مجھے پتا ہے۔ میں جانتی ہوں۔''

''کوئی نہیں جانتا ایسی باتیں سلی گرل۔''

''جب میں چلی جاؤں تو اُداس نہ ہونا۔ ایک ہی بار زور سے رو لینا۔ کارخانے میں میری ارتھی بنانا۔ مرگھٹ میں میری چتا کو آگ لگانا۔ پھر میرے پھول چُننا۔ مٹی کی گڈوی میں میری استھیاں ڈال کر اپنے ہاتھ سے بُنا سوت لپیٹنا اس ڈوری کے ساتھ اور دریا میں اپنے ہاتھوں سے بہانا۔''

سونینا نے اپنی پھولوں گندھی چٹیا سے ایک سرخ ڈوری نکال کر سام کو دی سام نے وہ ڈوری اپنی جیب میں رکھی اور کہا۔

''سلی گرل۔ یو وِل ناٹ ڈائی۔''

''نہیں ایسا ہی ہوگا۔ ہر انسان کے سینے میں ایک سٹاپ واچ ہوتی ہے جو اپنے وقت پر رُک جاتی ہے۔ میری سٹاپ واچ اگلے آدھے چاند کو رُکے گی۔''

□□□

مال گاڑی واپس جا رہی تھی۔ آدھی رات کے قریب موسیقاروں کا گھر آیا۔ دونوں گاتے بجاتے اپنے گھر میں داخل ہوئے۔ جب جمال اور سام کئی گھنٹوں بعد کارخانے پہنچے اور کھانا کھایا تو صبحِ کاذب تھی۔

''سو جاؤ ڈیئر۔'' سام نے کہا۔

''کہاں؟''

''جہاں بھی۔''

جمال نے گھومتے گھماتے ایک بستر ڈھونڈا۔ آج بہت سے لوگ کارخانے میں سوئے ہوئے تھے۔ جمال بہت تھکا ہوا تھا۔ سارے دن کی تکان اس کے جسم میں کھٹی گٹھلیاں بنا رہی تھی۔ جمال نے نیند کو بہت پچکارا۔ مگر بہت زیادہ تکان نے نیند کو چوس لیا تھا۔ نیند کا دودھ دہی کی طرح پھٹ کر اس کے عضلات کو تلخ کر رہا تھا۔ اچانک اسے ترم کی آواز سنائی دی — پیتل کا باجا جو سام بجاتا تھا۔ اسے یاد آیا کہ سام کے ہونٹ شینا سے ملتے جلتے ہیں۔ دونوں کا چھید ایک جیسا ہے۔ اس کا دل چاہا کہ وہ سام کو شینا کر دے۔ وہ ترم کی آواز کا پیچھا کرتا کرتا پائیں باغ میں پہنچا۔ سام لکڑی کے سٹول پر

88

بیٹھا ٹرمپٹ بجا رہا تھا۔ بادلِ ناخواستہ اپنی تینوں دُھنوں سے یکسر بیگانہ نہایت ماتمی دھن میں شرابور۔ اس کی دھن میں گریہ تھا۔ ماتم تھا اور چُبھتی ہوئی اُداسی۔ تیور سروں کی زنجیر پر بندھی چُھریوں کا جُھرمٹ جو کمر پر پڑتے ہی پٹھوں کی گرہیں کھول دیتا ہے۔ سامنے گھاس پر ڈانگری والا اور لیڈی ایمرسٹ بیٹھے اسے سن رہے تھے۔ جمال بھی ان کے ساتھ بیٹھ گیا۔ بہت دیر بین ہوتا رہا۔ ڈانگری والے نے کئی بار سام کے کان میں کچھ کہا مگر وہ باجا بجاتا رہا۔

"آؤ سام۔ اب سو جاؤ پلیز۔" جمال نے اسے بازو سے پکڑا۔ کمروں میں گھومتے گھماتے بالآخر اپنے ہی بستر پر اسے لٹایا۔ پاؤں سے جوتے اُتارے۔ سام بے حال تھا۔ اسے کھونٹی پر لٹکا ایک سلیپنگ سوٹ نظر آیا۔ اُتارا اور سام کو پہنانے لگا۔ عین اس وقت ڈانگری والا آ گیا اور اس نے سام کے کان میں کچھ کہا۔

"یہ بھڑوا حرامی ہے۔ اس کا کچھ کرنا پڑے گا۔" جمال کے فشارِ خون نے اُدھم مچایا۔ اس نے ڈانگری والے کو گریبان سے پکڑا اور چلّایا۔

"او تو چاہتا کیا ہے ماں کے گھسیارے! بھین کے للن۔"

ڈانگری والے نے کوئی ردِّ عمل نہ دکھایا۔ اپنا منہ جمال کے کان سے لگا کر خُر خُر کرنے لگا۔

"او مائی گاڈ۔ یہ بھڑوا تو گونگا ہے۔"

جمال نے اسے کمرے سے نکلنے کا اِشارہ کیا۔ ادھی کے واسطے پیسے کا تیل جلانے سے بہتر ہے کہ یہ بھڑوا یہاں سے چلا جائے۔ ڈانگری والے نے پھر سام کے کان میں کچھ کہا اور چلا گیا—اب چار و ناچار سام کے ساتھ ہی سونا پڑے گا—جمال کی متوسط طبقے کی اخلاقیات نے سبق دیا۔ چراغ گُل کرنے سے پہلے جمال نے سوچا کہ سانچق کی رات ہے۔ دہی مچھلی کی مٹکی لے کر دُلہن کے گھر جانا ہی پڑے گا۔ اس کے

عضلات میں تلخ گٹھلیوں نے انگڑائی لی۔

صبح ٹرمپٹ کی آواز پر جمال کی آنکھ کھلی۔ بے چینی اس کے دماغ کو جھنجھوڑ رہی تھی۔ بے نام سی بے قراری تھی جو کبھی کبھی اسے بے کل کرتی تھی۔ اس کا دِل چاہتا تھا کہ وہ پھر سے واپس چلا جائے۔ اسی دُنیا میں جہاں کرائے کا ایک کمرہ ہے۔ جہاں ساری دُنیا اس کے نام کا ڈنکا بجاتی ہے جہاں وہ دانش ور ہے۔ اوتار ہے۔ جہاں حکومت اس کے نام کو کیش کرنا چاہتی ہے۔ جہاں خواص و عام اسے دیکھ کر ادب سے جھکتے ہیں۔ جہاں وہ قلندروں کے درجے پر فائز ہے— مجھے یہ کیوں ہوتا ہے؟— میں کالی پہاڑی کو کیوں ہضم نہیں کر سکا۔ کیوں جذب نہیں کر سکا؟— میں یہاں کیوں آیا تھا میں یہاں کیوں لایا گیا تھا؟؟

جب جمال پائیں باغ میں پہنچا تو سام اکیلا بیٹھا ٹرُم بجا رہا تھا۔ ڈانگری والا کہیں اندر سویا ہوا تھا اور لیڈی ایمرسٹ کسی جھاڑی میں۔ وہ گھاس پر بیٹھ گیا۔ ٹرمپٹ کی پاٹ دار آواز نکلی۔ وہ پاش پاش ہو گیا اور رونے لگا۔

□□□

90

سائبیریا میں برف بڑھنے لگی۔ غذا گھٹنے لگی۔ پرندوں کو دانہ دنکا ملنا دُشوار ہوا۔ خمیری روٹیوں کے ٹکڑے بھی میسر نہ ہو سکے تو غذا کی قلت خمیری رطوبت بن کر پروں کے نیچے خون میں ناچنے لگی۔ اُڑان کی خواہش سے پر پھولنے لگے۔ یہ سفر کا پیغام تھا۔ ہجرت، ترکِ وطن اور نقل مکانی کا اِشارہ۔ جواب میں کالی پہاڑی کے پرندوں کے پر ہوا سے پھول گئے۔ دیسی پرندوں کو احساس ہو گیا کہ بدیسی پرندے لمبی اُڑان کھینچ کر ان کے پاس آنے والے ہیں۔ بھاری برف سے ہلکی برف کی جانب۔ سائبیریا سے پرندے آ رہے ہیں۔ فضا میں ڈاروں کے مختلف نمونے بناتے ہوئے۔ ایک ہی اُڑان میں سینکڑوں میل کا فاصلہ طے کرتے ہوئے۔ راتوں کو پرواز کرتے ہوئے۔ سفر کے ستارے کو رہنما بناتے ہوئے۔ پچھلے سال کی پرواز کے ماہر پرندوں کو راہبر مانتے ہوئے۔ تاروں کی چھاؤں میں نہاتے ہوئے۔ پروں کی ارتعاش میں لرزتے ہوئے۔ جب پرواز کی راہ میں بادل آئیں گے اور سفر کا ستارہ چھپ جائے گا۔ تو یہ کسی جنگل کی سرائے میں عبوری قیام کریں گے۔ پھر سے اُڑیں گے اور بالآخر پہنچیں گے کالی پہاڑی پر۔ جہاں کی پتلی برف ان کو خوشگوار اور رُوح افزا محسوس ہو گی۔

دُنیا بھر کے پرندے آپس میں ایک لاسلکی تعلق رکھتے ہیں۔ایک دوسرے سے جڑے ہوتے ہیں۔ایٹم کے مداروں میں گھومتے الیکٹرانوں کی طرح۔ایک الیکٹران کالی پہاڑی میں تو دوسرا سائبیریا میں۔زاغ کالی پہاڑی میں تو زغن سائبیریا میں۔کالی پہاڑی کی چڑیا، بلبل، کوئل، کوّا، رنگین ماہی خور، نیل کنٹھ اور مرغِ زرّیں جانتا ہے کہ سائبیریا کی نیلی فاختہ، سلیٹی کبوتر، لم ڈھینگ، کونج، مرغابی، سارس، چیل، گدھ اور شکرا کس حال میں ہے۔انھیں یہ بھی علم ہے کہ جب درختوں کے پتے رنگین ہو کر گرنے لگیں تو یہ بدیسی پرندے آتے ہیں اور برف کے بعد جب کونپلیں پھوٹنے لگیں تو یہ پردیسی واپس اپنے دیس کی طرف اُڑ جاتے ہیں۔افزائشِ نسل کے لیے۔پھر اگلی رُت آتی ہے۔نئے پرندے لمبی اُڑان بھرتے ہیں۔سفر کے ستارے اور آزمودہ کار پرندوں کے پیچھے ڈاروں کے نمونے بناتے ہوئے۔

کائناتی علم اُڑتے پرندوں کے پروں سے جھڑ کر لوگوں کے سروں پر گرتا رہتا ہے۔کچھ لوگ جسے راکھ سمجھ کر جھاڑ دیتے ہیں۔کالی پہاڑی کے لوگ اسے اپنے اندر سمو لیتے ہیں۔جبھی تو انھیں زلزلہ آنے سے پہلے اپنی اطلاع دیتا ہے۔اسی لیے تو وہ زمین میں چھپی معدنیات دیکھ لیتے ہیں، بغیر کسی اوزاری سہارے کے۔

جمال یہ سب سوچ کر سام کی طرف دیکھنے لگا تو سام مسکرایا۔دونوں کیل کے جنگل میں چلتے جا رہے تھے اپنی مال گاڑی کے ساتھ۔

''جب سونینا مر جائے گی تو پھر؟'' جمال نے اچانک پوچھا۔

''تو میں اس کے پھول چنوں گا۔''

سام نے اطمینان سے کہا۔پھر وہ پرتل کے ایک درخت کے قریب جھکا اور ایک مری ہوئی کوئل کو اُٹھا کر دیکھنے لگا۔اس نے کوئل کے پر کو پھیلایا۔کالے سیاہ پروں کے بیچوں بیچ سفید پروں کا نرم جزیرہ تھا۔سیاہ دُم کے آخر میں بھی ایسا ہی سفید رنگ تھا۔

''جب پچھلی رُت میں سائبیریا سے پردیسی آئے۔ تو وہاں کا ایک بہت بڑا اُلّو اس کا دوست بن گیا۔ یہ اس اُلّو کے گرد اُڑتی اور کوکتی رہتی تھی۔ وہ اسے بڑی بڑی جامد آنکھوں سے دیکھتا رہتا تھا۔ سارا دن یہ تماشا ہوتا۔ پھر اس کھیل میں ایک اُڑن گلہری بھی شریک ہوگئی۔ کوئل کوکتی، اُلّو گھورتا اور اُڑن گلہری دونوں کے درمیان چھلانگیں لگاتی۔ پھر برف پگھل گئی۔ خمیری رطوبت بدیسی پرندوں کے پروں میں ناچنے لگی۔ اُلّوؤں نے ہوا میں ڈار بنائی۔ ہوا میں ایک چکر لگا کر واپس آئے کیونکہ کوئل کا اُلّو ابھی تک سفید پاپلر کے درخت پر جامد بیٹھا تھا۔ بالآخر یہ اُڑا۔ پیچھے کوئل بھی اُڑی مگر ڈار کا حصہ نہ بن سکی اور واپس آ گئی۔ اس سال جب وہ اُلّو آئے گا تو دیکھیں کیا کرتا ہے۔''

سام نے یہ کہہ کر کوئل کو درخت کے تنے کے پاس رکھ دیا اور مال گاڑی پھر سے چلنے لگی۔

□□□

سولہ سترہ سال کا ہوگا وہ لڑکا۔ چہرے پر سبزہ آغاز ہوا تھا مگر خط ابھی پوری طرح بھرا نہیں تھا۔ صاف سفید رنگت پر ایک بڑا سیاہ تل ذرا اُٹھ کر آنکھیں دیکھتا تھا جو غیر معمولی تھیں اور جن میں روشنی آنکھ مچولی کھیلتی تھی۔ کبھی آنکھیں شفاف ہو کر چمکنے لگتیں تو کبھی ان کی روشنی ماند پڑ جاتی۔ لالٹین کے شیشے کی طرح، جس کا فتیلہ تیل کی کمی بیشی کے سبب شعلے کے قد کا تعین کرتا ہے۔ بارہا اس کی آنکھیں مرجاتیں مگر کچھ ہی دیر میں پھر سانس لینے لگتیں۔ ہونٹ کسی سوچ سے بھنچے رہتے۔ گویا کوئی اندر سے کھینچ رہا ہے۔ چھریرے بدن میں مگر بلا کی چستی تھی۔ کبھی کبھی تو یوں لگتا جیسے جسم اور چہرہ دو الگ الگ شخصیات ہیں جیسے ایک سر بریدہ جسم پر دوسرا سر ٹرانس پلانٹ کر دیا گیا ہے۔ البتہ ہاتھ اور پاؤں کے ناخن جاگتے تھے۔ جن کے بڑھاؤ تلے میل کا سیاہی مائل سبزہ تھا۔ جمال کئی دن سے اس کا تعاقب کر رہا تھا۔ کیونکہ وہ لڑکا اسے غیر معمولی نظر آتا تھا اور چند دن پہلے ہی کالی پہاڑی پر وارد ہوا تھا۔ شروع میں تو وہ لڑکا جمال سے کتراتا تھا۔ اسے دیکھتے ہی لمبے ڈگ بھرتا یا دوڑتا ہوا دیودار کے جنگل میں غائب ہو جاتا تھا۔ پھر ایک دن اس نے غور سے جمال کو دیکھا۔ اس وقت لالٹین کا فتیلہ تیل میں تربتر تھا۔ آنکھوں نے کہا

94

کہ جمال بے ضرر ہے۔ وہ جمال کے ساتھ ہولیا۔اور دونوں مُندری والا کے چنڈو خانے میں رہنے لگے۔

چنڈو خانے میں رات تھی۔ طاق میں جلتی ہوئی قد آور شمع کی روشنی میں فلمی اداکاراؤں کی تصویریں ناچ رہی تھیں۔ جمال کو کسی خود کش حملہ آور سے ملنے کی شدید خواہش تھی۔ وہ چاہتا تھا کہ وہ ایسے شخص سے بہت سی باتیں کرے اور بالآخر اسے قائل کرکے راہِ راست پر لے آئے۔ اس نے ساتھ بچھی چارپائی پر نیم دراز لڑکے پر نظریں جمائیں جس کا سر دیوار پر کھڑے چکٹ تکیے میں اطمینان سے دھنسا ہوا تھا۔ ایک ٹانگ لیٹی ہوئی۔ دوسری نیم دراز جس کے پاؤں کا انگوٹھا اُنگلی کو جھٹک کرکُند چٹکی بجار ہا تھا۔ سامنے دیوار پر ٹنگی ہوئی خود کش جیکٹ ناچتی ہوئی اداکارہ کے کولہے کو مَس کرتی تھی۔ اداکارہ اتنی جیتی جاگتی تھی کہ اِدھر کولہا مٹکا اور اُدھر سب ختم۔

''کیا مذہبی پس منظر کے علاوہ بھی خود کش حملے کا کوئی جواز ہے؟'' جمال نے بے دِلی سے پوچھتے ہوئے اس کے ہاتھ کی پُشت پر ہتھیلی رکھی۔ جمال کو کبھی کبھی محسوس ہوتا کہ شاید وہ ہم جنس پرست ہوتا جا رہا ہے۔ اگر سامنے جیکٹ نہ لٹک رہی ہوتی تو ممکن ہے یہ جذبہ مزید تقویت پکڑتا۔

''ہاں۔''لڑکے نے اطمینان سے کہا تو جمال نے ایک جھٹکے سے اپنا ہاتھ کھینچا جیسے وہ لڑکا نہیں گویا بجلی کا ننگا تار تھا۔ جمال کو اس''ہاں'' کی تو قع نہیں تھی اور ''ہاں'' بھی اتنی برجستہ۔ اس قدر استقامت سے بھری ہوئی۔

''کیا جواز ہے؟'' جمال نے چر چراتی ہوئی چارپائی پر آلتی پالتی کا سوالیہ آسن جماتے ہوئے کہا۔

''بے فائدہ زندگی جینا بے فائدہ ہے اور زندگی بے فائدہ کرنے والوں کو بھی جینے کا کوئی حق نہیں۔ چنانچہ خود کش حملے کرنے کا جواز بنتا ہے۔''

لڑکے کی یہ بات سن کر جمال نے ٹانگیں چارپائی سے لٹکائیں۔ اپنا چہرہ ہتھیلیوں کے کٹورے میں رکھ کر بولا:

''یہ بات تمہیں بڑے بوڑھوں نے سکھائی ہوگی کیونکہ سولہ سترہ سال کا چھوکرا تو یوں نہیں بولتا۔''

''سکھائی تو بڑوں ہی نے۔ مگر سمجھائی اُس جیکٹ نے۔'' لڑکے نے انگشتِ شہادت سے دیوار کی طرف اِشارہ کیا۔ اُنگلی تیر کی طرح سیدھی تھی اور اس میں کوئی ارتعاش نہیں تھا۔

''حملہ کب کروگے؟''

''جب موقع مِلا۔''

''تو ابھی کردو۔''

''جب بہتر موقع مِلا۔''

''ابھی تک بہتر موقع نہیں مِلا؟''

''نہیں۔''

''کیوں؟''

''بس نہیں مِل سکا۔''

''تو کالی پہاڑی پر منصوبہ بندی کرنے آئے ہو کیا؟''

''نہیں بھاگ کر آیا ہوں۔ کچھ لوگ کتوں کی طرح پیچھے پڑ گئے تھے۔ بڑی مشکل سے بچ کر نکلا ہوں۔''

''تو اُن لوگوں کے درمیان پھٹ جاتے تم۔ موقع تو تھا۔''

''جب بہتر موقع مِلا، تو پھٹوں گا۔''

''میرا خیال ہے کہ تمہیں موقع نہیں ملے گا لڑکے۔''

''ملے گا۔ یقیناً ملے گا۔''

''اتنا وثوق؟ اتنا یقین؟؟ اتنی اُمید؟؟؟''

''ہاں! موت اُمید پر قائم ہے!!!''

جمال یہ معکوس محاورہ سن کر سناٹے میں آ گیا۔ یہ خودکش بھڑوے تو لُغت تبدیل کر رہے ہیں۔ محاوروں کو سر کے بل کھڑا کر رہے ہیں۔ اب کیا ہوگا؟ جمال چند لمحوں کے لیے گہری سوچ میں ڈوب گیا۔

''کیا تم نے کبھی موت کو چُھو کر دیکھا ہے؟'' لڑکے نے جمال سے پوچھا۔

''ہاں۔''

''کیسی تھی؟''

''گیلی تھی۔ بہہ رہی تھی۔''

''پھر؟''

''پھر میں گیلا ہوا ہی چاہتا تھا کہ سکھا دیا گیا۔'' جمال نے دوبارہ آلتی پالتی مارتے ہوئے کہا۔

''میری موت آتشی ہوگی۔ زوردار ہوگی۔ اجتماعی ہوگی۔''

جمال نے آسمان پر ماہتابیاں چلتے دیکھیں۔ ذروں کو پھٹ کر آفتاب ہوتے ہوئے دیکھا۔ چنگاریوں کا رقص دیکھا۔ مگر خود کو سنبھال کر بولا:

''موت اپنی اپنی لڑکے۔ موت اپنی اپنی۔ اجتماعی موت بھی انفرادی ہے۔ ہر کسی کو اپنی ہی موت مرنا ہے۔ اپنے گڑھے میں گرنا ہے۔ خواہ ساتھ میں سیکڑوں مر جائیں۔''

''نہیں۔ اجتماعی موت اجتماعی ہے۔ جسم مِل کر جھڑتے ہیں اور رُوحیں مِل کر اُٹھتی ہیں۔'' لڑکے نے اصرار کیا تو جمال نے گفتگو واپس موڑی۔

''تم کہتے ہو کہ تمہیں موقع نہیں مِلا۔ تم فٹ بال کے اُس پُھرتیلے کھلاڑی کی

طرح ہو، جو کئی تھرکتی ٹانگوں اور ناچتے قدموں کو جل دے کر بال گول پوسٹ کے پاس
لے جاتا ہے اور گول کیپر کو بہکانے میں وقت لیتا ہے۔ اتنے میں مخالف ٹیم کا کوئی
کھلاڑی عقب سے وار کرتا ہے اور بال چھین لیتا ہے۔''

''میں بس ایک ہی بار کِک لگاؤں گا۔ مخالف ٹیم کے کئی کھلاڑی بال کے ساتھ
نیٹ کو پھاڑ کر تماشائیوں پر جا گریں گے۔''

''اس میں تماشائیوں کا کیا قصور ہے؟''

''کیونکہ وہ تماشا دیکھتے ہیں۔'' لڑکا بولا۔

''تماشا تو وہ دیکھیں گے کیونکہ کوئی کھلاڑی ہوتا ہے اور کوئی تماشائی۔ وہ تماشا
اس لیے دیکھتے ہیں کہ تم لوگ کرتے ہو۔''

''تو اپنے رِسک پر تماشا دیکھیں۔'' لڑکے نے کہا۔

''کیا تم نے کبھی فٹ بال کھیلا ہے؟''

''ہاں۔ میں اپنے سکول کی ٹیم کا اچھا کھلاڑی تھا۔''

''پھر۔''

''پر میں نے فٹ بال میں ہوا کی جگہ بارُود بھر دیا۔''

جمال اُٹھ کر کمرے میں ٹہلنے لگا۔ جیکٹ کے قریب پہنچا تو اسے جھرجھری
محسوس ہوئی۔ اس نے سوچا کہ زندگی اور موت کے بہت سے رنگ ہیں: خاکی، آبی،
آتشی، بادی اور خونی۔ وہ مڑا اور اس نے لڑکے سے پوچھا:

''تمہارے بڑے بوڑھوں نے تمہیں تباہی کا علم سکھایا۔ تمہاری کایا کلپ
کی۔ تمہارے سر پر موت کا بھوت سوار کیا۔ تمہیں اجتماعی موت سے آشنا کیا۔ مگر مجھے
ایک بات بالکل سمجھ نہیں آتی کہ آخر وہ سکھانے والے خود اس کارِ خیر پر عمل کیوں نہیں
کرتے۔ پکی عمروں کے لوگ آخر خودکش حملہ کیوں نہیں کرتے۔ اگر میں یہ کہوں کہ وہ

98

نوجوانوں کے سیلابی جذبات سے کھیل کر انھیں تباہی پر اُکساتے ہیں تو کیا میں غلط کہہ رہا ہوں؟''

لڑکے نے تکیہ کھینچ کر گود میں رکھا اور دیوار سے ٹیک لگا کر بولا:

''ہاں۔''

جمال کو اس ''ہاں'' کی توقع نہیں تھی۔ وہ دھپ سے پرانی آرام کرسی پر گرا تو سن رسیدہ بید کے کئی تار ٹوٹ کر نیچے لٹکنے لگے۔

''کیا غلط کہا میں نے؟''

''سراسر غلط کہا۔ اُستاد کا کام تو سکھانا ہے۔ گیلیلیو کا اُستاد گیلیلیو نہیں بن سکا۔ اچھا اُستاد اپنی ذات کی نفی کا نام ہے۔ وہ زرخیز مٹی میں علم کاشت کرتا ہے۔ اچھے شاگرد کو اپنے آپ سے آگے سمجھتا ہے۔ شاگرد کا تازیہ اُستاد سے بڑا ہوتا ہے۔ صاحبا۔''

جمال اُٹھا تو بید کے کئی تار ٹوٹ کر گرے۔ لڑکے کے قریب اپنا چہرہ جماتے ہوئے بولا: ''تو کیا تم جنت میں جاؤ گے؟''

لڑکے نے جمال کے رُخسار پر اپنا ہاتھ کر کہا۔

''آپ ہی نے تو کہا تھا کہ مذہبی باتیں نہیں ہوں گی۔ اب آپ کو کیا ہوا ہے؟''

طاق میں جلتی ہوئی قدآور شمع کی روشنی میں اچانک شینا کا ہیولا لرزا۔ جمال نے بہت دِنوں سے شینا سے بات نہیں کی تھی۔ چھریرے بدن کے اس لڑکے نے جمال کے اعصاب بیدار کر دیئے تھے مگر لٹکی ہوئی جیکٹ آگ پر بارش کی طرح برستی تھی۔ جمال اُٹھا اور برآمدے سے ہوتا ہوا شینا کے کمرے میں داخل ہوا۔ وہ شب خوابی کے لباس میں گہری نیند کی ارزانی میں تھی۔ آتش دان کی ہلکی روشنی شینا کا سراپا بتاتی تھی جس کے خدوخال سرخ کمبل پر نمایاں تھے۔ جمال نے اپنے خال وخد کمبل کے حوالے کیے جیسے مندمل ہوتے ہوئے زخم کی سختی پر نرم دباؤ ڈالنے سے درد کا مرکز سکون کی لہروں کا دائرہ

چھوڑتا ہے۔ شینا کا وجود ان لہروں کی زد میں تھا، جیسے سردیوں میں اُونی کپڑے پہننے سے جسم پر جامد برقی رو کو ہلکا سا لمس، جھٹکے کی چونک دیتا ہے۔ جمال اس لمس کے زیرِ اثر تھا۔

جسموں کا کوئی مسام ایسا نہیں تھا جو پوری طرح بیدار نہ ہو۔ کوئی حس ایسی نہیں تھی جو خوابیدہ نہ ہو اور کوئی جنبش ایسی نہیں تھی جو غنودہ نہ ہو۔ لرزش میں ٹھہراؤ تھا اور ٹھہراؤ میں لرزش۔ شینا کے جسم پر مہک کروٹیں بدلتی تھی۔ سرسوں کے کھیت پر پھیلی کسیلی باس سے لے کر اُونچے پہاڑوں پر اُگے خودرو پھولوں کی میٹھی بساوٹ تک۔ مشام کے کھلے آسمان پر مہکتی ہوئی دھنک کے ساتوں رنگ تھے۔ ست رنگی ہیجان کے آنچل پر ایک طرف زیریں سرخ تو دوسری طرف بالا بنفشی جھالر تھی۔ جمال مشکی گھوڑے کی طرح پتھریلی شاہراہ پر سرپٹ دوڑ رہا تھا۔ سموں کی سلگتی اور چمکتی ہوئی نعلیں پتھروں پر ضرب لگاتیں تو چنگاریاں اُڑتیں۔ شینا کی نم ہتھیلیوں سے باگ پھسلتی جا رہی تھی، جو اس نے مٹھیوں پر لپیٹ لی۔ گھوڑے نے ندی عبور کرنے کے لیے زقند بھری تو باگ ہاتھوں سے نکل گئی۔ شینا نے ایال پکڑنا چاہی مگر اوندھے منہ زمین پر گری یوں کہ اس کا ایک پاؤں رکاب میں پھنسا ہوا تھا۔ گھوڑے کے چرے ہوئے جبڑوں میں لگام کا پھاہا تھا۔ وہ پہاڑ چڑھ رہا تھا۔ پہاڑ کی چوٹی پر معلق چٹان کا چھجا تھا۔ اگلے سم چٹان کے کنارے سے ٹکرائے تو چنگاریوں کا بھبکا اُٹھا۔ گھوڑا پشت کے بل وادی میں گر رہا تھا۔ ہر سُم کی نعل بھٹی میں جلتے ہوئے فولاد کی طرح چمک رہی تھی۔ شینا کا ایک پاؤں اب بھی رکاب میں تھا۔ وہ ہوا میں تھی۔ اس کے لہریا بالوں کا رُخ زمین کی طرف تھا۔ کمرے میں آتش دان زوال پر تھا۔ دیودار کی دو گیلی لکڑیوں کے ماتھے پر پسینہ تھا۔ یہ پسینہ جمال کے ماتھے پر چمکتے پسینے سے زیادہ گاڑھا اور گرم تھا۔ وہ اُٹھ کر آتش دان تک گیا اور قریب پڑی خشک لکڑیوں کو آتش دان میں رکھا۔ انگار جاگ اُٹھی اور لپٹیں اُچھل اُچھل کر چھلتریں سلگانے لگیں۔ وہ کمبل میں جا بیٹھا۔

سگریٹ سلگانے کے لیے لائٹر ڈھونڈنے لگا۔ شینا نے تکیے کے نیچے سے لائٹر نکال کر دیا۔ دھوئیں کے مرغولے نرم روشنی میں سرایت کرتے رہے۔ وہ بہت دیر ہتھیلیوں کے تکیے پر سر ٹکائے سوچتا رہا اور پھر سو گیا۔ اچانک آنکھ کھلی تو مُندری والا اس پر جھکا ہوا تکیہ ٹٹول رہا تھا۔ جمال کا اُوپر کا سانس اُوپر اور نیچے کا نیچے رہ گیا۔ کمبل سے چھلانگ لگا کر پلنگ کے ساتھ کھڑا ہو گیا۔ اخلاقیات کی بے راہروی کو لفظوں میں لپیٹ کر بولا:

''وہ دراصل مجھے نیند میں چلنے کی عادت ہے۔ بعض اوقات کہیں بھی جا کر سو جاتا ہوں — یہ میں نے کیا غضب کیا۔ یہاں سو گیا۔ میں معافی چاہتا ہوں۔ دراصل میرا اِرادہ ہرگز نہیں تھا کہ میں —''

''میں تو لائٹر لینے آیا تھا۔ تم نہ جانے کیا ہانک رہے ہو۔'' مُندری والا اطمینان سے سگریٹ سلگا کر کمرے سے باہر چلا گیا۔ جمال کے اوسان ابھی تک خطا تھے۔ وہ کپڑے پہن کر باہر نکل آیا اور بے دھیانی میں چلتا ہوا دریا کے کنارے پہنچا۔ آسمان پر آدھا چاند چمک رہا تھا۔ سام نے سونینا کے پھول گڈوی میں بھر رکھے تھے۔ سام نے اپنے چتکبرے سکارف کو دانتوں میں دبا کر چیر لگایا۔ ایک دھجی پھاڑ کر گڈوی کے منہ پر رکھی۔ جیب سے سونینا کی دی ہوئی سرخ ڈوری نکالی۔ گڈوی کی گردن کے گرد دھجی کو کسا اور باقی ڈوری جیب میں ڈال کر چل پڑا۔ پیچھے پیچھے خچروں کی ریل گاڑی چلی۔ دُور سے تُرم چینخا۔ بیّاں نہ دھرو — بلما۔ اور سروں کا گریہ سن کر پیڑوں میں بیٹھے پرندے جھنجھنی آوازیں نکالنے لگے۔ جمال نے دریا کی طرف دیکھا۔ تیرتی ہوئی استھیاں جنوب کی طرف بہتے ہوئے پانی میں غائب ہو گئی تھیں۔ وہ سونے کے لیے چنڈو خانے کی طرف چلنے لگا جہاں چارپائی پر نوجوان اور دیوار پر جیکٹ سو رہی تھی۔

□□□

ڈرائنگ روم میں چراغ جل رہے تھے۔نئ پُرانی طرز کے سولہ صوفہ سیٹ جو مختلف زاویوں سے کئی قالینوں پر رکھے تھے۔غور سے دیکھنے پر اپنا رنگ بتاتے تھے۔ جانوروں کی سینگ جڑی کھوپڑیاں دیواروں کے جسم سے نکلی ہوئی تھیں۔جب چراغوں کی لو ذرا افزوں ہوتی تو کراس کی شکل میں دو تلواروں اور ایک ڈھال کے کئی نمونے جھلملانے لگتے۔چھت پر فریسکو کی شکل کے نقش و نگار نمایاں ہوتے۔آتشی گلابی اور نیلے رنگ سے زیادہ سنہری پینٹ جھلک دیتا۔چھوٹے بڑے فانوس میزوں پر دھرے چراغوں کی روشنی کو اُچک لینے کی خواہش میں روشن نظر آتے اور دیوار پر آویزاں ٹیپسٹری کے اُونی نمدوں کے ریشے پھولتے گویا روشنی میں سانس لے رہے ہوں۔ سانس لینے سے ٹیسپٹری پر بنے بارُعب شخص کی شبیہہ حقیقی نظر آتی جس کی دائیں مُٹھی پر عقاب پَر پھیلائے بیٹھا تھا۔روشنی کے ارتعاش سے بارُعب شخص کی آنکھیں چمکتیں اور عقاب کے پر ہلتے تھے۔میز پر انواع واقسام کی شراب چنی گئی تھی۔جن میں بوزہ۔ مئے آتشیں اور مئے انگوری نمایاں تھیں۔ جانسن ساقی کا کردار ادا کر رہا تھا۔ ٹینا اس کی معاون تھی۔ایک صوفے پر مراقبے کے عالم میں اسمتھ بیک وقت تین سگریٹوں میں چرس

102

بھر رہا تھا۔ اس کے ساتھ بیٹھا انتھونی اپنے آہنی تیوروں سے ماحول کا جائزہ لے رہا تھا۔ جمال کے ساتھ ابو داؤد بیٹھا ہوا تھا جس کے لطیفوں سے ماحول کشتِ زعفران تھا۔

یہ لوگ آج سہ پہر ایک ہیلی کاپٹر میں پہنچے تھے۔ ٹینا ہیلی کاپٹر سے اُتری اور بانہیں پھیلائے دُور کھڑی شینا کی طرف دوڑی اور بے اختیار۔ نم آلود آنکھوں سے مائی چائلڈ، مائی چائلڈ کہتی ہوئی شینا سے لپٹ گئی۔ اس نے شینا کے چہرے پر بوسوں کی بوچھاڑ کر دی۔ شینا نے اس تھپیڑے سے سنبھل کر صرف اتنا کہا۔

''لانگ ٹائم مام۔ ہاؤ آر یو۔''

''آئی ایم فائن۔ آئی ایم فائن۔'' یہ کہتے ہوئے وہ مُندری والا سے لپٹ گئی اور سویٹ ہارٹ کہہ کر گلابی ہونٹوں سے مُندری والا کے کریہہ لب چبانے لگی۔ حملہ اتنا شدید تھا کہ مُندری والا کا بھینگا پن درست ہوا اور بائیں بُنِ گوش میں سونے کی مُندری چمکنے لگی۔ مُندری والا نے ٹینا کے شانوں پر ہاتھ رکھ کر اطمینان سے کہا:

''سو ہیئر یو آر۔''

پانچ لوگوں کا یہ قافلہ کافی پینے کے بعد حویلی کے ارد گرد گھومتا رہا۔ کچھ دیر بابا بے دست کی کُٹیا کے باہر رُکا۔ بابا اپنا کھڑکی دار کھدر یلا انگرکھا پہنے دروازے پر نمودار ہوا۔ دایاں ہاتھ ہلایا۔ آستین کُہنی تک ڈھلک گئی۔ کچھ دیر انھیں دیکھتا رہا اور واپس جا کر چٹائی پر بیٹھ گیا۔

چراغوں کی لو میں محفلِ رامش و رنگ بپا تھی۔ ڈرائنگ روم سرگوشیوں، قہقہوں، لطیفوں، دھوئیں اور بھاری مہک سے بھرا ہوا تھا۔

''ہم تمام دوست بغداد میں بہت دنوں مصروف رہے۔ سر کھجانے کی فرصت نہیں تھی۔ نہ دن کو چین، نہ رات کو آرام۔ اب کچھ وقت ملا تو سوچا کیوں نہ کسی ایسی جگہ جائیں جہاں سکون سے ایک آدھ دن گزارا جا سکے۔ بہت سی تجاویز پر غور کیا۔ آخر قرعہ

کالی پہاڑی کے نام کا نکلا اور خوب نکلا۔ بھلا اس سے بہتر کون سی جگہ ہو سکتی ہے۔'' جانسن نے جام بھر کر سب کی جانب بڑھاتے ہوئے کہا۔

''کنگ اور شینا کیوں نہیں آئے؟'' ٹینا نے پوچھا۔

''کنگ کون؟'' جمال کے کان کھڑے ہوئے۔

''ہم شینا کے باپ کو کنگ کہتے ہیں۔ جب شینا میرے پیٹ میں تھی تو ایک دِن میں نے کنگ سے کہا کہ مُندری تمہارے کان کا حصہ معلوم ہوتی ہے کہیں ایسا نہ ہو کہ جب ہمارا بچہ پیدا ہو تو اس کے کان میں بھی ایک چھوٹی سی مُندری ہو — او مائی گاڈ — او مائی گاڈ۔'' ٹینا یہ بات کرتے ہوئے لوٹ پوٹ ہوگئی۔ باقی لوگوں نے بھی جوابی قہقہہ لگایا۔

''جب میں اور کنگ کیلیفورنیا میں پڑھتے تھے تو کنگ ارضیات میں ہمیشہ اوّل آتا تھا پھر وہ اسی مضمون کا ماہر بنا اور اس نے دُنیا میں تہلکہ مچایا۔ میں پڑھائی میں کمزور تھی۔ میرا سارا کلاس ورک اور ہوم ورک کنگ کرتا تھا۔ حالانکہ میرا مضمون معاشیات تھا۔ وہ دن میں مجھے معاشیات پڑھاتا اور رات کو میں اسے حیوانیات پڑھاتی۔ بس اسی طرح شینا پیدا ہوگئی — او مائی گاڈ — او گاڈ۔'' ٹینا یہ کہتے ہوئے پھر ہنسی کے بھنور میں ڈوب گئی۔

''ایک مس کیرج بھی ہوا۔ لڑکا تھا۔ ہاؤ سیڈ۔'' ٹینا کے چہرے پر اُداسی کی پرچھائیاں لرزنے لگیں۔ وہ صوفے سے ٹیک لگا کر چھت پر چمکتے سنہری رنگ کو گھورنے لگی۔

''چلو جو ہوا۔ سو ہوا۔'' جانسن نے ٹینا کے زانو پر ہتھیلی رکھتے ہوئے کہا۔ ٹینا نے اس کے ہاتھ پر اپنا ہاتھ رکھ دیا۔

''تو آپ یہاں کیا کر رہے ہیں مسٹر؟'' انتھونی نے جمال سے پوچھا۔ اسمتھ کے سگریٹ کا گہرا دھواں انتھونی کے سوال کو لپیٹ کر جمال کی جانب بڑھا۔

''میں — میں بس کچھ بھی نہیں کر رہا۔ ایک دن اچانک یہاں آ گیا سو بیٹھا

ہوں۔ گھومتا پھرتا رہتا ہوں۔ کبھی اِدھر، کبھی اُدھر۔ انواع واقسام کے لوگوں کو دیکھ کر حیران ہوتا رہتا ہوں۔ کہتے ہیں کہ کالی پہاڑی جسے بلاتی ہے وہ یہاں آ جاتا ہے جسے نہیں پسند کرتی وہ یہاں بے چین ہو جاتا ہے اور بھاگ جاتا ہے۔ میں یہاں نہ مطمئن ہوں، نہ بے کل۔ احساس کی برزخ میں بیٹھا ہوں۔ کبھی بہت سکون ملتا ہے۔ وہ میرا قیام مہمیز کرتا ہے۔ کبھی سخت بے چینی ہوتی ہے جو مجھے باہر دھکیلتی ہے۔ بس اسی دھکم پیل میں بیٹھا ہوں۔ لیکن میرا خیال ہے کہ کالی پہاڑی مجھ سے کچھ زیادہ مطمئن نہیں۔ سو ایک دن نکال پھینکے گی۔'' جمال نے خمار کے اثر کے تحت کہا۔

''پھر کنگ ایک دن ڈینئل کے زیرِ اثر آ گیا اور اس کے ہاتھوں میں کھیلنے لگا۔ ڈینئل دُنیا بھر میں بہترین ماہرِ ارضیات تھا۔ وہ زمین سے باتیں کرتا تھا۔ زمین اس کا جواب دیتی تھی۔ ڈینئل میں کچھ غیر مرئی قوتیں بھی تھیں۔ بہت کم لوگ ہوتے ہیں جو سائنس اور وجدان کو ساتھ لے کر چلتے ہیں۔ دِس باسٹرڈ ڈینئل واز وَن آف دیم۔ وہ سطحِ زمین پر کھڑا ہو کر زمین کے اندر میلوں تک دیکھ لیتا تھا۔ یہاں تیل ہے۔ یہاں گیس ہے۔ یہاں سونا ہے۔ تانبا ہے۔ لیتھنیم ہے۔ یورنیم ہے۔ چاندی ہے۔ سائنس دان آلات لگا کر دیکھتے تو اس کی اکثر باتیں سچ ہوتیں۔ کنگ اس کے دام میں آ گیا اور ڈینئل کے عشق میں دیوانہ ہو گیا۔ میں کیسے برداشت کر سکتی تھی۔ میں مِس یونیورس تھی۔ لوگ میری ایک جھلک دیکھنے کو ترستے تھے اور کنگ مجھے اِگنور کرتا تھا۔ ڈینئل کے پیچھے مارا مارا پھرتا تھا۔ ڈینئل اور کنگ نے بڑے بڑے کمالات دکھائے۔ تیل کے کنویں تلاش کرنے میں جہاں لاکھوں بلین ڈالر خرچ ہوتے تھے، وہاں ڈینئل کی ایک پیشین گوئی تمام مسائل حل کر دیتی تھی۔ پھر یہ کام ڈینئل نے کنگ کو سکھایا اور دونوں اس دُنیا کے سب سے بڑے لوگ بن گئے۔''

ٹینا نے مخمور بھاشن ختم کیا تو جمال بولا:

''یہ ڈینئل کون ہے؟''

''وہ ٹنڈا۔ جو یہاں کُٹیا میں رہتا ہے۔'' ٹینا نے نفرت سے کہا۔

''اس کا نام دانیال ہے۔'' ابوداؤد نے جمال کو بتایا جو اس کے پہلو میں بیٹھا مئے آتشیں کا لطف لے رہا تھا۔

''آئی ہیٹ دس وَن آرمڈ باکسر۔'' ٹینا نے ہلکا سا مُکّا جانسن کے گال پر جمایا تو وہ اپنا رُخسار سہلاتے ہوئے بولا:

''ٹیک اِٹ ایزی۔ بے بی۔ ٹیک اِٹ ایزی۔''

''اِیزی۔ اِیزی۔ ریلیکس۔'' اسمتھ نے جھولتے ہوئے کہا اور اپنا ڈھیلا سگریٹ ٹینا کے ہونٹوں میں ٹھہرایا۔ ٹینا نے لمبا کش لیا۔ جمال نے دیکھا کہ کئی دہائیوں پہلے کی مس یونیورس میں اب بھی جمال کا لپکا ہے۔ کھنڈرات سے عمارت کے شکوہ کا اندازہ کرنا کوئی مشکل بات نہیں تھی۔ جمال ٹائم مشین میں بیٹھ کر کچھ دہائیاں پیشتر اس مقام پر پہنچا جہاں سر کے بُنِ مو سے پاؤں کے ناخن تک ایک حسینہ، ایک قتالہ ساری دُنیا کی مرکزِ نگاہ تھی اور ایک بدشکل ماہرِ ارضیات نہایت سہولت سے دُنیا کے بہترین خد و خال کو اپنے لمس سے ناپتا تھا۔ اس کے حسن کی آگ تاپتا تھا۔ اُس کے اندروں اور بیروں پر اپنے بدنما نقش چھاپتا تھا۔ شیشے کی پُشت پر لگا زنگار ہے مُندری والا۔ جو بھلے شیشے کو آئنہ کرتا ہے مگر اپنی شخصیت کی تلچھٹ تو نہیں چھپا سکتا۔

''میں ملتا رہتا ہوں دانیال سے۔'' جمال نے کہا اور جب ٹینا کی حسین نگاہوں نے اسے دیکھا تو جمال نے جان بوجھ کر اپنی نظر میں نفرت، بے اعتنائی اور تکبر کو اُجاگر کیا جسے حسینہ کی آنکھوں نے داد سے دیکھا۔

''ڈانیال از اے ڈیول، جامال!''

ٹینا کے اس تبصرے پر جمال نے اس قدر تائید کی کہ ٹینا کچھ دیر تحسین اور توصیف

کی نگاہوں سے اسے دیکھتی رہی۔ جمال کی ریڑھ کی ہڈی میں طمانیت سرسرائی جو مہروں کی سیڑھی اُترتے اس کی رانوں میں گدگدانے لگی۔

''پھر پتا کیا ہوا جامال ایک دن۔ اس شیطان ڈانیال نے کہا کہ وہ اپنی ساری قوتیں مجتمع کر کے ہمیں یہ بتائے گا کہ وسط ایشیاء، مشرقِ وسطیٰ، ایران، عراق اور باقی دُنیا میں تیل کے ذخائر کہاں کہاں ہیں لیکن اس کے لیے سودا کرنا پڑے گا۔ ڈِیل۔ یونو ڈِیل جامال اور بدقسمتی کہ کنگ نے اس کی تائید کی۔ ڈانیال نے کہا کہ میری غیر مرئی قوتیں ختم ہونے کو ہیں۔ چنانچہ وہ آخری بار بتائے گا کہ قیمتی ذخائر کہاں ہیں اور بدلے میں اسے رہنے کے لیے اس کی پسند کی جگہ دی جائے۔ ہم نے کاسٹ بینیفٹ تجزیہ کیا اور کہا کہ ٹھیک ہے۔ اُس نے ہمیں ذخائر بتائے۔ ہم نے حسبِ وعدہ اُسے کالی پہاڑی دے دی۔ اور دس سال کے لیے دس ہزار ڈالر ماہانہ وظیفہ مقرر کیا۔ ہم بھی خوش اور وہ بھی خوش۔ وہ دن اور آج کا دن۔ وہ بھی خوش اور ہم بھی خوش۔''

''آپ نے کتنا خوبصورت فیصلہ کیا، بالکل اپنے جیسا۔'' جمال نے برجستہ کہا تو قہقہوں کا ایک ریلا ڈرائنگ روم میں چھوٹا۔ جمال نے دیکھا کہ ٹینا نے غلط انداز نظروں سے اسے دیکھا۔ نظر سے ناوک نکلے اور سیدھے جمال کے دل میں پیوست ہوئے۔

یکا یک دورِ مےنوشی تیز کر دیا گیا۔ جانسن نے ہاتھ میں گرانی کی۔ جام جم میں بڑھنے لگے۔ انتھونی نے پلے کا بٹن دبایا۔ موسیقی نے رواج کیا۔ وسیع و عریض ڈرائنگ روم میں لوگ اِدھر اُدھر ناچنے لگے۔ جمال ناچتا ناچتا ایک تاریک کونے میں چلا گیا جہاں پرانے اور نئے ماڈل کی گاڑیاں چراغ کی لَو میں جھلملا رہی تھیں۔ وہ ایک کیڈلک سے ٹکرا کر گرا تو ٹینا کے ہاتھوں نے اسے اپنے پاؤں پر کھڑا کیا۔ دونوں نے باہم رقص کیا۔ رات کے ملگجی اندھیرے، سگریٹ کے دھوئیں کی دُھند اور بھاری باس سے بھری رات میں۔ ناچتے، باتیں کرتے وہ باہر آ گئے۔ ہوا لگی تو نشہ ہوا سے باتیں کرنے لگا۔ سامنے

کُٹیا تھی۔ بے دست نے دایاں ہاتھ اُٹھا کر داد دی تو آستین کُہنی پہ رُک گئی۔ جمال نے رُخسارِ گل گوں ہاتھ کے پیالے میں لیے اور چاند کی روشنی میں وہ حسن دیکھتا رہا جو نشے میں کون و مکاں کی قید سے آزاد ہو کر دوام مانگتا ہے۔ بابا بے دست نے کُٹیا کے دروازے سے ہاتھ ہلایا۔ جمال نے ٹینا کی خشمگیں نگاہوں کو دیکھا تو جواباً چپ رہا۔ قریب سے شینا اور مُندری والا گزرے۔ ٹینا جمال میں اتنی منہمک تھی کہ انھیں دیکھ نہ سکی۔ جمال نے بہرحال دیکھا۔ وہ دونوں اپنی ترنگ میں چلتے جا رہے تھے۔ ٹینا نے کہا:

"واٹ آنائٹ۔ شاندار۔ جامال۔"

جمال نے اسے چومتے ہوئے کہا:

"یس ٹینا۔ یو آر رائٹ۔"

چلتے چلاتے، گھومتے گھماتے وہ دوسرے کمرے میں پہنچے۔ دیوار تا دیوار ارغوانی قالین بچھا ہوا تھا۔ جس کی گرد پر چلنے سے کبھی نقشِ پا کی لکیر بنتی تھی۔ مگر آج خلافِ معمول صاف تھا۔ دیواروں کے ساتھ مخمل کے رنگ برنگ تکیے۔ ہر تکیے کے کانوں میں گول پھندنوں کے جھمکے۔ ایک بڑے تکیے کے پھندنوں کے نیچے سونے کے پیندے کٹوروں کی طرح پھندنوں کے مخملیں ریشوں کو سہارا دیتے تھے۔ ٹینا لہراتی ہوئی اس بڑے تکیے پر گری اگرچہ جمال نے سہارا دینا چاہا لیکن وہ خود سہارا چاہتا تھا۔ جب اس نے کونے میں پڑا سرخ کمبل ٹینا پر پھیلایا تو حسینہ نے ایک آہ بھری۔ آہ ہو یا واہ۔ شرابی ہر دو اضافتوں پر فریفتہ ہوتا ہے، جیسے مندمل ہوتے ہوئے زخم کی سختی پر نرم دباؤ ڈالنے سے درد کا مرکز سکون کی لہروں کا دائرہ چھوڑتا ہے۔ ٹینا کا وجود ان لہروں کی زد میں تھا۔ جیسے سردیوں میں اُونی کپڑے پہننے سے جسم پر جامد برقی رو کو ہلکا سا لمس، جھٹکے کی چونک دیتا ہے۔ جمال اس لمس کے زیرِ اثر تھا۔ جسموں کا کوئی مسام ایسا نہیں تھا جو پوری طرح بیدار نہ ہو۔ کوئی حس ایسی نہیں تھی جو خوابیدہ نہ ہو اور کوئی جنبش ایسی نہ تھی جو غنودہ نہ ہو۔

ٹینا کے جسم پر مہک کروٹیں بدلتی تھی۔ سرسوں کے کھیت پر پھیلی کسیلی باس سے لے کر اُونچے پہاڑوں پر اُگے خود رو پھولوں کی میٹھی بساوٹ تک۔ مشامِ جاں کے کھلے آسمان پر مہکتی ہوئی دھنک کے ساتوں رنگ تھے۔ زیریں سرخ سے بالا بَنفشی رنگ پھیلے تھے۔ جمال نے گھوڑے کو ایڑ دی۔ ٹینا کی نم ہتھیلیوں سے باگ پھسلتی جاری تھی۔ اس نے باگ کو مضبوطی سے تھام کر پوچھا:

''یونو۔ڈینئل۔دی باسٹرڈ۔''

''یس آئی نو۔'' جمال کی آواز میں گھوڑے کے سموں کی تھاپ تھی۔ سموں کی سلگتی اور چمکتی ہوئی نعلوں سے چنگاریاں اُڑ رہی تھیں۔

''آئی ہیٹ ہِم۔'' ٹینا نے۔

''آئی ہیٹ ہِم ٹو۔'' گرتی ہوئی ٹینا کی گھگھیاتی ہوئی آواز سنی تو جمال نے ازراہِ ہمدردی کہا۔

''اس نے اپنی غیر مرئی قوتیں کھودی ہیں۔'' ٹینا نے بظاہر اطمینان سے کہا۔ گھوڑے نے ندی عبور کرنے کے لیے زقند بھری۔ گھوڑا ہانپ رہا تھا۔

''مگر وہ تو اب بھی پیشین گوئی کرتا ہے۔ دانیال۔ ٹنڈا۔'' جمال نے پگھلتی ہوئی سانسوں کے سیال میں آواز ملائی تو اچانک ٹینا جست لگا کر گھوڑے کی پیٹھ پر بیٹھی۔ لگاموں کو مٹھی میں لپیٹ کر کھینچیں اور گھوڑا اپنے اگلے سموں کو ہوا میں معلق کر کے زمین پر ساکت ہو گیا۔ تکیے کے کانوں میں گول پھندنوں کے جھمکے ساکن ہوئے۔ ٹینا نے اپنا ملبوس سنبھالا اور جمال کی حیرت کو پاؤں تلے کچلتی کمرے سے باہر نکل گئی۔ جمال نے سگریٹ سلگایا پشیمانی کے کئی کش کھینچے اور قریبی کمرے میں افتاں وخیزاں داخل ہوا۔ اور کشاں کشاں ایک ڈھیلی چارپائی پر سو گیا۔ کبھی سامنے دیوار پر ایک جیکٹ جاگتی تھی۔ ہیں! یہ کیا۔ نہ لڑکا ہے۔ نہ جیکٹ۔ جمال خمار کے زیرِ اثر سو گیا۔

چلتے چلتے دونوں دریا کے کنارے بیٹھ گئے۔ سردیوں کی دھوپ دریا کے سرد پانی سے کھیل رہی تھی۔ جمال نے کھونٹے سے کشتی کی رسّی کھولی اور ٹینا کو سہارا دے کر کشتی میں بٹھایا۔ چپو چلاتے ہوئے جمال کو ٹینا نے چشمِ دلرُبا سے دیکھا۔ دُور حویلی چٹان کا سہارا لیے دونوں کو دیکھ رہی تھی۔ ٹینا اور پُرانی حویلی میں کتنی مماثلت ہے۔ دونوں باوقار ہیں۔ جہاں دیدہ ہیں۔ پرانی ہیں۔ خوبصورت ہیں۔ پُراسرار ہیں۔ بھید بھری ہیں۔ آسیب زدہ ہیں۔ دونوں کی بنیادیں مضبوط ہیں۔ دیواریں نہیں چٹخیں۔ پلستر نہیں اُدھڑا۔ چوکھٹیں ایستادہ ہیں۔ لوچ نہیں آیا۔ دونوں میں پُراسرار لوگ رہتے ہیں۔ کوئی آتا ہے تو کوئی جاتا ہے۔ جمال نے سوچا۔ ٹینا کشتی میں دراز ہوگئی۔ اس کی ہلکے سبز رنگ کی شرٹ ناف سے آگے نکل گئی۔ ناف کے نچلے پپوٹے میں ایک موتی سرما کی دھوپ سے جھلملانے لگا۔ نہ جانے اس قتالہ نے کہاں کہاں موتی پرو رکھے ہیں۔ یہ سوچ کر جمال کے جسم پر اُگے مسّے سرسرانے لگے۔

''پتا کیا۔ میں اور کنگ ہنی مون کے لیے دُنیا بھر کی سیر کو نکلے۔ کبھی ہوائی جہاز میں تو کبھی ٹرین میں۔ کبھی بحری جہاز میں تو کبھی بس میں۔ کبھی سائیکل پر تو کبھی پیدل

اور چھوٹی سی شینا اس لمبے سفر میں ساتھ۔ کبھی بیمار ہو جاتی تو ہم رُک جاتے۔ پھر چلنے لگے۔ چلتے چلتے بغداد پہنچے۔ ایران، عراق، جنگ ہو رہی تھی۔ کنگ نے حسبِ معمول اس میں دلچسپی لی۔ اُلٹے سیدھے مشورے دیئے۔ ایران اور عراق دونوں ے کہا کہ ہماری طرف سے لڑو۔ کنگ چونکہ دیوانہ ہے۔ ایک فوجی دستے کے ساتھ چل نکلا۔ اس کا خیال تھا کہ یہ عراقی فوج ہے۔ حالانکہ وہ ایرانی تھے۔ یہ ان کے ساتھ مارا مارا پھرتا رہا۔ کئی دن بعد واپس آیا تو بولا۔ یہ میں کس کی جنگ لڑ رہا ہوں۔ ایران کی یا عراق کی۔ شیعہ کی یا سنی کی۔ مجھے تو کچھ سمجھ میں نہیں آتا۔ میں نے کہا۔ ہیل وِڈیو۔ تم جہاں ہنگامہ دیکھتے ہو، شامل ہونے کی کوشش کرتے ہو۔ میں ترکی میں اپنے بھائی کے گھر جا رہی ہوں۔ تم جانو اور تمہاری مہم جوئی۔ ہم سیر کرنے نکلے تھے، تم نے ہمیں مصیبت میں ڈال دیا۔ ساتھ ننھی سی جان ہے۔ تمہیں ذرا شرم نہیں آتی مگر وہ بار بار یہی کہتا۔ یہ میں کس کی جنگ لڑ رہا ہوں۔ میں نے کہا تم اس معمے کا حل تلاش کرو۔ میں چلی۔ یہ کہہ کر میں ترکی چلی گئی۔ کنگ قید ہو گیا۔ ایرانیوں نے قید کیا یا عراقیوں نے، میرا خیال ہے اسے بھی علم نہیں تھا۔ چار سال بعد انقرہ پہنچا۔ نحیف ونزار، زخموں کے کھرنڈ چاٹتا ہوا، دماغی بدحالی کا شکار۔ میں نے کہا کنگ بتاؤ میں کیا غلط کہتی تھی۔ تم جہاں ہنگامہ دیکھتے ہو، شامل ہونے کی کوشش کرتے ہو۔ میں نے غلط کہا ڈیئر؟ بتاؤ نا جامال۔“

”تم نے سراسر درست کہا۔ بالکل ٹھیک کہا۔ دیوانگی کی بھی کوئی حد ہوتی ہے ٹینا۔ مجھے مُندری والا سے یہ اُمید نہ تھی۔“

”پتا کیا۔ آگے سنو۔ کچھ سال ہم ترکی میں رہے۔ شینا سے کھیلتے رہتے۔ وہ اسکول جانے لگی۔ ایک دن کنگ کے سر میں سودا سمایا کہ برصغیر اور نیپال کے اُونچے پہاڑ دیکھے جائیں۔ ہم پھر مسافر ہو گئے۔ افغانستان پہنچے۔ شمال سے کمیونسٹوں اور باقی سمتوں سے دُنیا بھر کے مسلح لوگ قافلوں کی شکل میں جنگی جنون لیے اس ملک میں اُتر رہے تھے۔

111

ہنگامہ دیکھ کر ایک بار پھر کنگ کا دِل بے قرار ہوا۔ میں کنگ کے ساتھ ساتھ چلتی رہی اور اُنگلی پکڑ کر ساتھ چلتی رہی شینا۔''

کشتی سلوچنا کی پن چکی کے قریب پہنچ چکی تھی۔ سلوچنا اکیلی دریا کی ریت پر بیٹھی تھی۔ دُور جنگل میں ترم نے صدا دی — بلما — جمال کے ہاتھ چپوؤں پر ڈھیلے پڑ گئے۔ جمال نے اپنی اور ٹینا کی استھیاں دریا میں تیرتی ہوئی دیکھیں۔ تُرم گونجا، ڈھلے گی چنریا تن سے۔ ہنسیں گی رے چوڑیاں چھن سے۔ مچے گی جھنکار۔ جمال نے اپنی اور ٹینا کی ڈھلتی ہوئی عمر کو دیکھا۔ وقت کی ہنستی ہوئی جھنکار کو محسوس کیا۔ ہڈیوں کو آگ میں جل کر چٹختے ہوئے سنا۔ چپو چلانے کی سکت جاتی رہی۔ بغیر چپوؤں کے چلتی ہوئی کشتی سلوچنا کے قریب سے گزری۔ جمال نے چپو سے اُٹھا کر دایاں ہاتھ بلند کیا۔ سلوچنا نے جواب میں ہاتھ اُٹھایا تو چوڑیاں کھنکیں۔ دُور جنگل میں تُرم بولا۔ بیاں نا دھرو۔ ٹینا کے چہرے پر خشمگیں نظروں نے جمال کو چپو پکڑنے پر مجبور کیا اور وہ مخصوص مڈل کلاس اخلاقیات کا سبق دُہرا کر بولا:

''آئی ایم سوری۔ ڈیئر! بعض اوقات میں سلی حرکتیں کرتا ہوں۔ تو افغانستان کا ہنگامہ دیکھ کر کنگ پھر پاگل ہو گیا۔ یقیناً ہو گیا ہو گا۔ پاگل پن کی بھی کوئی حد ہوتی ہے۔ اتنی خوبصورت شریکِ حیات۔ چھوٹی سی بچی اور اسے دیکھو کہ ہنگامہ دیکھتا ہے۔ خیر۔ پھر؟''

ٹینا نے سلوچنا کی چوڑیاں اور جمال کے چہرے کا مرگھٹ غور سے دیکھا اور دھیمے لفظوں میں گویا ہوئی:

''— تو یہ ہوا۔ پتا کیا۔ دُنیا بھر کے مسلح لوگ قافلوں کی شکل میں جنگی جنون لیے افغانستان میں اُتر رہے تھے۔ کنگ متضاد احساسات کی یک جائی، دوجذبیت یا دو گرفتگی کا شکار تھا۔ اس کا دِل بے اختیار جنگ کرنے کے لیے بے قرار ہوا۔ اس نے

کمیونسٹوں کے خلاف ہتھیار اُٹھایا اور برسرِ پیکار ہو گیا۔ پھر اسے خیال آیا کہ کمیونسٹوں کے حق میں جنگ کی جائے۔ وہ مختلف محاذوں پر جنگ کرتے ہوئے بارہا زخمی ہوا۔ کئی بار مرتے مرتے بچا۔ اور دو بار جنگی قیدی بنتے بنتے رہ گیا۔ جنگ کے مناظر اب بھی میرے ذہن میں محفوظ ہیں۔ میں نے امریکی سفارت خانے میں پناہ لی۔ شینا کے لیے ٹیوٹر رکھا۔ ایک ماں اور کیا کرتی جامال! افغانستان میں عجب سماں تھا۔ فرازِ کوہ پر اُجڑی ہوئی لکڑی کی کھوکھلی عمارتیں، سیڑھی نما کھیتوں کے زینوں میں اسلحے کے گودام، اُلجھی ہوئی داڑھیوں پر بکھرے گیسو۔ لمبی جرابوں کے الاسٹک میں پھنسائی ہوئی پھولی شلواروں کے پائینچے، شکار ڈھونڈتی عقابی نظریں، گرتی برف کے گالوں سے ڈھکی ہوئی وادیاں، پشتو اور فارسی تلفظ میں انگریزی گفتگو، سیب کے باغات اُجاڑتا فوجی ٹڈی دل، برف کے عذاب میں سُکڑتے اور لکڑی کے مکانوں کو سنبھالا دیتے ہوئے چوبی ستونوں کی کجی، منقش چوبی کھڑکیوں کے ٹوٹے ہوئے شیشوں سے جھانکتی نقابی آنکھیں اور شیر خوار چہرے، لکڑی کے متعلق پُل پر کھڑے ہو کر جمتی ہوئی ندی کو دیکھتے بوڑھے، لکڑی کے بلند ستونوں پر ایستادہ فوجی چوکیاں جن کی ٹین کی چھت تلے کھڑے ہو کر دُوربین سے نظارہ کرتے ہوئے چوکیدار، نیم مسمار گھروں کے باورچی خانوں سے نکلتا ہوا گھنیرا دھواں جن میں روتے ہوئے پراٹھوں کی سسکیاں تھیں، ست رنگی چھتری اوڑھے گھر کی دہلیز سے برف اور بارش صاف کرتی ہوئی پردہ نشینوں کے سفید ہاتھ، لکڑی کے عمودی ڈنڈے پر اُفقی چوبی صلیب اور اس پر مومی کاغذ پھیلا کر بنائی گئی چھتریاں، چترالی ٹوپیاں اور چتکبری پگڑیاں پہنے ہوئے برسرِ پیکار نوجوان، جھاڑیوں سے اُلجھ کر پھٹی ہوئی شلواروں کے لٹکتے ریشے، میدانِ جنگ میں نماز ادا کرتے ہوئے جتھے۔ صف کے پیچھے جوتے اور صف کے آگے کلاشنکوفوں کے ڈھیر۔ انسانی صفوں کے پیچھے جوتوں کی صفیں اور سامنے رائفلوں کی صفیں، خشک پہاڑوں میں گرے ہوئے رُوسی

جہازوں کے ڈھانچے، فصلوں میں اُدھڑتے ہوئے انسانی لاشے، سینے سے لٹکے چمڑے کے پیچھے دیمک نما کیڑوں کے غول اور پھٹے ہوئے شکم کے اندر دائروں میں دوڑتے سنڈی نما کیڑوں کی کلبلاہٹ، مسمار گھروں میں پتھروں کے نیچے پچکے ہوئے بچوں کے فیڈر اور ان کے پیندوں میں جما ہوا دودھ، پوست کے کھیتوں میں خوبصورت پھولوں پر برستی ہوئی ڈوبتے سورج کی شفق، بم برساتی ساون کی اماوس راتوں میں دن رات کھیلتے ہوئے شہر، بھیڑ بکریوں کے گلوں میں پھنسے سبز ٹرک، ہارن بجا بجا کر جانوروں سے راستہ مانگتے ڈرائیور، برف پوش پہاڑوں پر چھائے بادلوں کے پس منظر میں دڑدڑاتے ٹینکوں کی قطاریں، کھپریل کی چھتوں سے جھانکتے ٹین کے کناروں پر لٹکی ہوئی برف کی قلمیں جن کی نوکوں سے قطرہ قطرہ پانی برآمدوں میں گرتا تھا، موسمِ بہار میں کھلے ہوئے خودرو پھولوں کو مسلتے ہوئے بوٹوں کے گروہ، لکڑی کے زخمی ستونوں کے ضعیف سروں پر بندھے بجلی اور فون کے تاروں کے گچھے، خیموں میں جلتے ہوئے تیل کے لیمپ اور گھروں میں بجھتی لالٹینیں، پھیلتے کُہر کے مساموں میں اُترتی بارُود کی خاکی بُو، گرمی کے موسم میں خود بخود پھٹتی ہوئی بارُودی سرنگیں، جنگی قیدی بننے سے پہلے اندھا دُھند فائرنگ کرنے کے بعد خودکشی کرتے ہوئے نوجوان، مرنے کی بجائے جنگی قیدی بننے کو ترجیح دیتے ہوئے اُدھیڑ عمر سپاہی — بس میں کیا بتاؤں ڈیئر۔ زخمی یادوں کا ایک کولاژ تھا جو میری یادداشت کے فریم میں کسا ہوا ہے — اُف۔ او مائی گاڈ — او گاڈ —"

یہ کہتے ہوئے ٹینا کی آواز میں پھانس آئی۔ جمال کے ہاتھ چپوؤں پر تیز ہو چکے تھے۔ یہ ٹینا کے حُسنِ بیان کا کمال تھا۔ جب ٹینا نے خودکشی کرتے ہوئے نوجوانوں کا تذکرہ کیا تو یکایک جمال کا ہاتھ چپوؤں پر رُکا تھا۔ اسے چارپائی پر سویا ہوا حسین نوجوان یاد آیا۔ جس کے ہاتھوں کے ناخنوں میں تباہی کا سبزہ تھا اور جس کی جیکٹ دیوار پر جاگتی تھی۔

114

''تم کتنی حساس ہو ٹینا،تم کتنی حساس۔ حسین لوگ اتنے حساس تو نہیں ہوا کرتے۔ وہ تو اپنے حسن کے طلسم میں مدہوش رہتے ہیں۔ مگر ایک تم ہو۔ جنگ ہو یا امن۔ دِن ہو یا رات۔ لمحات کا حسن اور جبر تمہیں انگیخت کرتا ہے۔ میں تو تمہارے حساس ہونے پر مرمٹا ہوں۔ کنگ بڑا بدقسمت ہے۔ جو اس پیکرِ حُسن کو کو نہ سمجھ سکا جو بیک وقت حسین اور حساس ہے۔''

جمال نے یہ کہا اور چپو چھوڑ کر حسینہ کو گلے لگایا جس کی سبز آنکھوں میں ڈوبتے سورج کی شفق کام کرتی تھی۔ کشتی میں گھوڑا دوڑنے لگا اور سنہری سورج کو بادل کے آنچل نے چھپا دیا۔

رات گئے جمال اور ٹینا حویلی کی جانب گامزن تھے۔ راستے میں مُندری والا اور شینا نظر آئے جو تیز قدم اُٹھاتے جا رہے تھے۔

''ہائے کنگ۔''

''مُندری والا کدھر گامزن ہیں جناب! اور شینا تم رات گئے کہاں جا رہی ہو؟''

دونوں نے سنی اَن سنی کی اور تیز قدم اُٹھاتے اندھیرے میں غائب ہو گئے۔

چنڈو خانہ ویران تھا۔ نوجوان غائب۔ جیکٹ ندارد۔ ٹینا نے حیران نظروں سے چنڈو خانہ دیکھا پھر اپنے تیور سنبھال کر بولی ''شمع جلاؤ۔''

''آئی لائک سچ پلیسز! یہ بہت نیچرل ہیں۔ پُرانی چارپائیاں۔ پھٹکیلے تکیے۔ صبح سو کر اُٹھیں تو گردن اور پیٹھ میں ایک میٹھی سی ٹیس اُٹھتی ہے جامال!''

یہ کہہ کر ٹینا ایک چارپائی پر دراز ہوئی۔ جمال شمع جلا کر مڑا تو ناف پر مُندری کا نگینہ جھلملا رہا تھا۔ اس کا دِل چاہا کہ ناف کو نوچ لے مگر بہت دیر چپو چلانے سے پٹھوں کی اینٹھن اور گُھڑسواری کی کسالت آڑے آئی۔ ساتھ والی چارپائی پر لیٹ کر بولا:

''ٹینا۔ تم نے جنگ کو جن حساس آنکھوں سے دیکھا ہے۔ میں اس کا متحمل

ہرگز نہیں۔ مگر میں نے جو دیکھا سنا وہ اگر عرض کروں تو عنایت ہو گی۔"

"تم عرض کرو۔"

"دراڑوں بھری عمارتیں، ٹوٹی ہوئی محرابیں، غیر متوازن چھجے، چتکبری وردیاں، پتوں سے ڈھکے ہیلمٹ، وردی سے لپٹے میگزین، رائفلوں کی چکنی نالیاں، برف پوش پہاڑوں سے اُتر کر وادی میں استراحت کرتی ہوئی فوجی ٹکڑیاں، پنڈلیوں تک چڑھے ہوئے چرمی بُوٹ، مسلسل چلتے رہنے سے جن کا اوپری کنارہ رنگت بدلتا ہے، سر ڈھانپے ہوئے فوجی جیکٹ کی ہُڈ جو کمر پر لٹکے ہوئے ہتھیاروں سے سر دباتی ہے، کلائیوں پر گھڑیوں کے سفید نشان، بیرکوں کے باہر پریڈ کرتی ہوئی چمکتی وردیاں اور پالش شدہ بوٹ، نیچی پرواز کرتے جہازوں کی بیضوی کھڑکیوں سے میدانِ جنگ دیکھتی ہوئی مشین گنوں کی آنکھیں، اُترتے ہوئے ہیلی کاپٹروں کی آنکھوں میں ریت جھونکتی ہوئی گڑگڑاہٹ، بارُود بھری دھوپ میں لیٹ کر کمر سیدھی کرتے ہوئے تھکے فوجیوں کے پھولے پپوٹے، بھاری قمیصوں کے کھلے گریبانوں سے جھانکتی میلی بُنیانیں، احتلام بھرے زیرجاموں سے رِس کر پتلون پر دھبے بناتی ہوئی نمی، کندھے سے لٹکے بستر بند کی گولائی میں بیلٹ کے دباؤ سے پچک کر رِستے ہوئے ٹماٹر اور انڈے، پگڑیاں اور واسکٹ پہنے ہوئے جنگی قیدیوں کی نفرت اور خوف بھری آنکھیں، جیپوں کی ونڈسکرین پر گولیوں کے روزن اور اُن سے پھوٹتی شیشے کی چمک دار کرنیں، بارُود سے لدے ہوئے گھوڑے اور خچر، محاذِ جنگ کے پچھلے مورچوں میں سگریٹ کی شرط لگا کر تاش کھیلتے ہوئے جواباز، رات کو واڈکا پی کر چھاؤنی میں ناچتے ہوئے جوان، اعضائے تناسل شل کرنے والی سردی سے سکڑے ہوئے، مختلف جسامت کے، قدرت نے انھیں کمیونسٹ ہونے کے باوجود برابری کی بنیاد پر اعضاء عنایت نہیں کیے تھے، شاید ضرورت کے مطابق دیئے تھے۔ چنانچہ وہ نظریاتی اعتبار سے کمیونسٹ اور جنسی اعتبار سے سوشلسٹ تھے، اذیت کے

نت نئے طریقے سوچتے ہوئے ذہن، اسلحے سے بھری چھولداریاں، بارُودی سرنگیں بچھاتے دستے، نشے میں اپنی عورتوں کی تصویریں نکال کر روتے ہوئے عشاق، لاشیں ٹھکانے لگاتے ہوئے خاکی گورکن، رنگوں کی پھواریں دماغ میں ہولی کھیلتی ہیں۔ پیرٹ گرین، الیکٹرک گرین، اولیوگرین، بلڈریڈ، ٹی پنک، بے بی پنک، رَسٹ——"

جمال عالمِ استغراق میں ٹینا کے تھیسس کا انٹی تھیسس پیش کر رہا تھا۔ حالانکہ رنگ تائید ہی کا تھا۔ ٹینا نے اسے گلے لگاتے ہوئے کہا:

"تم کتنے حساس ہو جامال! آئی ایم سوایمپریسڈ۔ تمہارا وِژن کتنا کلیئر اور زوردار ہے۔"

وارفتگی میں ٹینا کے روس کی گرہ کُھل رہی تھی۔ وہ ٹکڑوں میں بکھر رہا تھا اور فری مارکیٹ سارے میں راج کر رہی تھی۔ رات بھیگ گئی تھی پرندے بیدار تھے۔

□□□

جمال اگلا سارا دن سوتا رہا۔ پھر رات ہوگئی۔ وہ ابھی تک نیند کے چھٹپٹے میں تھا مگر مسلسل دھمک نے اسے جگا دیا۔ اس نے شمع روشن کی۔ گہری رات تھی۔ دھم دھم دھم دھا۔ دھاگے ناتی تا کے دِھن۔ قریب ہی کہیں ڈھول بج رہا تھا۔ وہ گرم چادر اوڑھ کر باہر نکلا۔ ٹینا مدہوش نیند میں تھی۔ دھمک کا کُھرا کھوجتے ہوئے وہ دوسری منزل پر آیا۔ سیڑھیوں میں اسے دو بار ٹھوکر لگی۔ ایک بھاری دروازہ کھولا تو چھوٹے سے کمرے سے دھمک کا ریلا اُسے تربتر کر گیا۔ مُندری والا خالی کمرے کے فرش پر بچھی ایک چٹائی پر دو زانو بیٹھا تھا۔ اس کی آنکھیں بند اور ہاتھ چھت کی طرف اُٹھے ہوئے تھے۔ بت کی طرح ساکت و جامد تھا۔ اس کے دونوں جانب دو ڈھولچی گلے میں بڑے بڑے ڈھول ڈالے بجا رہے تھے۔ بجانے والوں کے چہرے پسینے میں شرابور تھے۔ ہر تھاپ کے ساتھ ان کے تہ بند تھرتھراتے اور گردنیں نفی میں جنبش کرتی تھیں۔ جمال نے آہستہ سے دروازہ بند کیا اور کمرے کے اندر دہلیز پر بیٹھ گیا۔ دروازہ کیا بند ہوا، دھمک اور تھرتھراہٹ کا لاوا کمرے کے آتش فشاں میں اُبال کھانے لگا۔ ڈھولچیوں کے کُرتے پسینے میں لہریں بناتے تھے۔ طاق میں چراغوں کی لو لرزتی تھی۔ بہت دیر کہروے کی تال بجی۔ مُندری

والا نے اکلاپے کا جن اپنے جسم سے باہر نکالا۔ کھال پر بجتے ہوئے ڈگے کے وار سے چراغوں کے رِستے ہوئے روغن کے نم سے۔ نفی میں ہلتی ہوئی گردنوں کے اثبات سے، پتھر کے کمرے کی لرزتی ہوئی بنیادوں سے۔ مُندری والا بہت رویا۔ اس کی گھگی بندھ گئی۔ اس نے کُرتے کے دامن سے اپنی آنکھیں پونچھیں۔ دروازہ کھولا اور جمال کو یوں نظرانداز کرتا ہوا باہر نکل گیا، جیسے وہ جمال نہیں بجھتے ہوئے سگریٹ کا فلٹر تھا جسے بے نیاز جوتوں کے تلوے پامال کرتے ہیں۔

جمال چارپائی سے اُٹھا۔ بدن میں اینٹھن تھی۔ سر میں گرانی اور پنڈلیوں میں کبھی کبھار رعشہ لہریں بناتا تھا۔ ٹینا بے خبر سو رہی تھی۔ وہ چلتا ہوا، اپنے پہلے دِن والے کمرے میں گیا۔ شینا صوفے پر نیم دراز کتاب پڑھنے میں منہمک تھی۔ واش روم کے آئینے میں جمال نے اپنا چہرہ دیکھا۔ سرخ آنکھیں، لٹکے ہوئے نچلے پپوٹے، مرجھائے ہونٹ، بڑھی ہوئی شیو کی اُداسی، کانوں پر پیلاہٹ مگر لووں میں سرخی، گردن پر چہرہ اُٹھانے کا بوجھ اور کاندھوں پر گردن اُٹھانے کی مزدوری۔ واش بیسن پر دونوں ہاتھ جما کر اس نے سسکیوں کی قے کی۔ سر گرا کر روتا رہا۔ ٹوتھ برش کیا، شیو کی اور بہت دیر بڑی بالٹی کے نیم گرم پانی سے نہاتا رہا۔ میں اتنا اُداس کیوں ہوں۔ کیا بے مقصد اُداسی دانش وروں کا شعار ہوتی ہے۔ وہ سوچتا ہوا واش رُوم سے باہر نکلا۔ شینا کتاب میں لکھی کس بات پر مسکرا رہی تھی۔ اس کے چہرے پر بچوں سی معصومیت اور فرشتوں سی پاکیزگی تھی۔ وہ کمرے سے نکل کر برآمدہ پار کرتے ہوئے گھاس پر چلنے لگا۔ کچھ دُور اسے دانیال کی کُتیا نظر آئی۔ اسے یاد آیا کہ بے دست نے ایک دن روانی میں شراب کے بارے میں کہا تھا کہ شراب پاگل قیدی کی طرح ہوتی ہے۔ زندان کی سلاخوں، دیواروں، کھڑکیوں اور فرش سے سر ٹکراتی ہے۔ یا تو اس کا سر پھٹ جاتا ہے یا زندان سے روزن نکل آتا ہے لیکن دونوں باتیں بیک وقت بھی ہو سکتی ہیں۔ اس نے کہا تھا کہ شراب

انسان کو عریاں کر دیتی ہے۔ جیسے کوئی باتھ رُوم میں بے لباس ہو اور اچانک دیواریں اُڑ جائیں۔ جیسے چلتے چلتے لباس پاؤں میں گر جائے تو ٹھوکر بھی لگتی ہے اور لاج بھی۔ اسی لیے شراب کے فائدے کم اور نقصانات زیادہ ہیں۔ شراب نوشی کا حق اس کو ہے جو اگلے دن شرمندہ نہ ہو۔ طبیعت کی گرانی بھی شرمندگی ہے اور گزشتہ رات واہی تباہی بکی ہوئی باتیں بھی اگلے دن کی شرمندگی ہے۔ راز افشا کرنا بھی شرمندگی اور مہمل بنیاد پر ہرزہ سرائی کرنا بھی رُسوائی، پھر اس بات کی کیا ضمانت ہے کہ خود الزامی اور خود اذیتی نہیں ہوگی، بلکہ خود تسکینی ہوگی یا خود فراموشی، چنانچہ مے نوشی کا لائسنس حاصل کرنا آسان کام نہیں۔ اس لائسنس کا اجراء بھی انسان کے اپنے اختیار میں ہے اور اگلے دن خود احتسابی کی عمل داری بھی اپنے ہی پاس ہے۔ گویا انسان گزشتہ شب ملزم ہوا اور اگلے دن قاضی۔ یہ تو شخصیت کی دوئی ہوئی۔ شراب کے سوڈے میں ٹینا کے حسن کی شراب ملی اور میں نے بدحواسی میں نہ جانے کیا کیا کہہ دیا۔ شاید سب کچھ۔ میرا خیال ہے کہ میں بے غیرت انسان ہوں۔ نطفہ بنت العنب ہوں۔ مختصر یہ کہ ماں کا گھسیارا ہوں، مُندری والا کے لفظوں میں۔ مگر اب کیا ہو سکتا ہے۔ ''روشنی جاتی رہی سروِ چراغاں رہ گیا۔'' میرا خیال تھا کہ کالی پہاڑی کے استرے سے چار ابرو صاف کر کے قلندر ہو جاؤں گا۔ مگر میں تو بھڑوا نکلا۔ جمال کُٹیا کے سامنے سوچ میں گم تھا۔ دانیال نرم دھوپ اوڑھے کُٹیا کے دروازے میں بیٹھا تھا۔ اس کے چہرے پر فاختہ کے بچے سی معصومیت تھی جو گھونسلے میں بیٹھ کر اپنے والدین اور ان کی چونچوں میں بھرے دانوں کا انتظار کرتا ہے۔ سام کی ریل گاڑی پہنچی۔ سام نے گال پھلا کر قریبی درختوں پر بگل کا چھڑکاؤ کیا۔

''جمال کیسے ہو؟''

''جمال! کیسے ہو۔'' چہچہاتا ہوا سوال آیا۔

''بس ایسا ویسا ہی ہوں۔'' مرجھایا ہوا جواب گیا۔

''ایسا یا ویسا؟''

''ایسا ویسا!!''

''جمال۔ ایسے ہو جاؤ یا ویسے۔ عالمِ برزخ میں رہنے کا کیا فائدہ؟ شخصیت کے ہیجڑے پن کو کبھی عضوِ تناسل کھینچتا ہے تو کبھی اندامِ نہانی۔'' جمال غصے سے آگ بگولا ہو گیا۔

ٹینا دور سے دوڑتی ہوئی آئی اور آ کر جمال کی بانہوں میں جھول گئی۔ سام کو دیکھا تو سنبھل کر بولی:

''ہائے۔''

''ہائے۔''

''ویئر آر یو فرام؟''

''فرام ہیئر۔'' سام نے ریل گاڑی کا ہارن بجایا اور جنگل میں تیزی سے غائب ہو گیا۔

''کیا میں باتوں کا الم نشرح کرتا ہوں؟ کیا میں احساسِ برتری کا مریض ہوں؟ کیا میں خبطِ عظمت کا شکار ہوں؟ میرا علم، دانش اور شخصیت کا سحر کافور ہوتا جا رہا ہے۔ دُنیا والے مجھے تفضیلِ کُلّی سے ضرب دیتے ہیں اور کالی پہاڑی صفر سے۔ تو میرے سوال کا حل کیا ہوا؟''

جمال کی سوچ کو ٹینا نے استفسار سے ضرب دیتے ہوئے کہا:

''آؤ ناشتہ کریں۔''

□□□

وہی وسیع و عریض کمرہ تھا جس نے پہلی بار جمال کے گیلے بدن کو پناہ دی تھی۔ بھورے کارپٹ سے ڈھکا ہوا۔ وسط میں قرمزی رنگ کا منقش قالین، جس پر مور کی شبیہہ نمایاں تھی۔ صوفوں سے ذرا ہٹ کر سُرمئی رنگ کا مختصر ڈائننگ ٹیبل تھا۔ جس سے چار کرسیاں چمٹی ہوئی تھیں۔ ناشتہ شروع ہوا۔ جانسن، شینا، ابوداؤد اور اسمتھ چاروں کرسیوں پر براجمان جب کہ جمال، ٹینا اور انتھونی قریبی صوفوں پر بیٹھے تھے۔ سامنے میز پر انسانی کھوپڑی کی شکل کا ایش ٹرے ناشتے کے برتنوں میں گھرا ہوا تھا۔

ناشتے کے دوران انتھونی جمال کو گہری نظروں سے دیکھتا رہا۔ تیزی سے چلتے ہوئے جبڑوں سے تمہیدی الفاظ برآمد ہوئے:

''نائس ڈے۔''

''یس، ویری نائس سنی ڈے۔'' جمال نے برجستہ تائید کی۔

''ٹینا۔ تمھیں معلوم ہے کہ جمال دُنیا کا امیر ترین شخص بن سکتا ہے۔ کمپیوٹر کے ماہرین، جرنیلوں اور اسلحے کے تاجروں سے بھی زیادہ امیر۔ اتنا امیر کہ گنتی اور شمار کی سانس پھول جاتے۔ سرمایہ اس کے قدموں میں یوں بکھرا پڑا ہو جیسے جھکڑ چلنے کے بعد

جنگل میں پتے اُڑتے پھرتے رہتے ہیں۔"

انھونی نے خوش دلی سے گردن جھٹکتے ہوئے کہا تو ٹینا وارفتگی سے بولی:

"مجھے معلوم ہے۔ میں جانتی ہوں۔ جمال ستارہ لے کر پیدا ہوا ہے۔ لکشمی اس کے گھر میں نہیں اُترے گی تو کیا میں اُتروں گی — او مائی گاڈ —" یہ کہہ کر ٹینا جمال کی گود میں ہنس ہنس کر لوٹ پوٹ ہوگئی۔

جمال نے تصوّر میں اکبرِ اعظم کا تاج سر پر رکھا۔ آئینِ اکبری لکھوایا۔ دینِ الٰہی کا اعلان کیا۔ سارا دربار سجدے میں گر گیا۔ نورتنوں نے بلائیں لیں۔ پردے سے جودھا بائی نے اکبر کے شانے پر اپنا ہاتھ رکھا۔ اکبر نے پردہ ہٹایا تو ٹینا سر پر تاج رکھے اندازِ دلرُبائی سے معنی خیز مسکراہٹ دے رہی تھی۔ اکبر نے انارکلی کو دیوار میں چنوایا اور شیخو کو زندان میں ڈال کر ننگے پاؤں درگاہ پر جا کر اشک آلود گریہ کیا۔ آسمان سے ہُن برسنے لگا۔ پاتال سے سونا اُبل کر سطحِ زمین پر آیا۔ تان سین نے مُجرے کی موسیقاری کی۔ رقاصاؤں کو سونے میں تولا گیا۔ خواجہ سراؤں نے لچک لچک کر تالیاں بجائیں۔ سلطنت برصغیر سے نکل کر دُنیا کے کونے کونے میں پھیل گئی۔ اسی سرور میں اسے قارون کا خزانہ بھی دکھائی دیا۔ ہیرے کی کانیں چمکیلے دانت نکال کر ہنسنے لگیں۔ دُنیا کے بڑے بڑے سربراہانِ مملکت نے ایئرپورٹوں پر سرخ قالین بچھائے۔ حسینائیں آٹوگراف کی خواہش میں زانو ہلاتی رہیں۔ جمال نے عاجزی اور انکساری سے کہا:

"درویش ہر کُجا کہ شب آمد سرائے اوست۔ ہم تو ویرانے میں پڑے تھے۔ نہ ستائش کی تمنّا نہ صلے کی پروا۔ آپ بھی تو شرمندہ کرتے ہیں۔"

"آئی لائک پرشین۔ اینڈ آئی لائک یور شائی نیس جمال۔" ٹینا نے جب کہا تو اُسے محسوس ہوا جیسے وہ شائی نیس کی بجائے اُسے ہزہائی نیس کہہ رہی ہے۔ شگفتگی سے بولا:

''تم بھی ناٹینا!!''

انتھونی کے تیور وہی تھے جو پہلی رات تھی۔ جو پہلی سہ پہر تھے۔ آہنی، کرخت اور جامد۔ ذرا نرم پڑتا تو سنگِ خارا کی طرح نیلگوں ہو جاتا۔ پتھر سے آواز آئی:

''تو ہم سودا کرتے ہیں جمال۔''

''کیسا سودا؟''

''تمہارے فائدے کا۔ ہمارے فائدے کا اور کیا!''

''ٹھیک ہے۔''

''تو ٹھیک ہے۔'' جمال نے کہا۔

''ہمیں پُرانا دانیال چاہیے۔''

''مِل جائے گا۔''

''واقعی؟'' انتھونی کا پتھر پگھل رہا تھا کہ اچانک کھلی ہوئی کھڑکی سے تُرم کی دھاتی لَے کمرے میں داخل ہوئی۔ جمال کے اوسان خطا ہو گئے۔ شخصیت کا ہیجڑہ پن پنڈولم کی طرح قوس میں سفر کرنے لگا۔ عضوِ تناسل سے اندامِ نہانی تک۔ اکبرِ اعظم کا تاج پاؤں میں گر گیا۔ شیخو نے بغاوت کر دی۔ انارکلی دیوار توڑ کر باہر نکل آئی قارون کا خزانہ دھجیاں ہو کر سنہری دھول بنتا ہوا فضا میں کافور ہو گیا۔ سطحِ آب پر استھیوں کی کنکریاں اُڑنے لگیں۔ انتھونی نے یہ کایا کلپ غور اور دلچسپی سے دیکھی۔ پتھر پھر سے فولاد ہو گیا۔ ناشتہ چباتے جبڑے تیز ہو گئے اور اس نے سبز آنکھیں ٹینا کی نیلی آنکھوں میں گاڑ دیں۔

''جمال کو میوزک پسند ہے۔ وہ آرٹسٹ ہے۔ فنکار ہے۔ حسّاس ہے۔ عظیم ہے۔'' یہ کہہ کر ٹینا نے اپنا سر جمال کی آغوش میں رکھا اور نیلی آنکھوں نے ٹکٹکی باندھی اور جمال کی سیاہ آنکھوں کا رنگ کاٹا۔

''ہمیں پُرانا دانیال چاہیے۔ تم جو چاہتے ہو لے لو۔ وہ مانگ لو جو عموماً ذہن میں نہیں آتا۔ وائلڈ اندازہ کرو اور بتا دو۔ ہم پیش کریں گے۔ تو یہ ہے سودا۔''

''ایک فارسی کا سودا ہے جو ناشتے کی میز پر ہو رہا ہے اور دوسرا عربی کا سودا ہے جو ترم میں بجتا ہے۔'' جمال کی کنپٹیاں بجنے لگیں۔

تُرم کی آواز خچروں کی مال گاڑی اور کھڑکی کی جالی سے چھن کر کمرے کی ہوا میں کشید ہوئی۔ جمال کی سیاہ آنکھیں کھل گئیں وہ الگ بات کہ سونے کی پیلاہٹ سے قرنیۂ چشم زرد تھی۔

□□□

واپس کیسے جاؤں۔ جمال نے سوچا۔ پیسے دھیلے کی شکل دیکھے ایک عرصہ ہوا تھا۔بس کا اڈہ کتنی دور ہوسکتا ہے۔ یہ جو مغرب کی طرف ہر رات ایک روشنی آسمان پر لَو دیتی ہے، آبادی ہوگی یقیناً۔ یہیں سے بس چلتی ہوگی۔ جمال نے کارخانے کا رُخ کیا۔ فرش پر پڑا ہوا سونے کا ایک بھاری کنگن اور ہیرے کی کنی اُٹھائی۔ جیب میں ڈال ہی رہا تھا کہ گونگا فورمین پیچھے سے آؤں آؤں کرنے لگا۔ شکست اور محرومی بہت دِنوں سے جمال کے دِل کے برتن میں قطرہ قطرہ گر رہی تھی۔ پیالہ بھر گیا تھا۔ اس نے زناٹے دار تھپڑ فورمین کے گال پر جمایا۔ خاکی ڈانگری تھرتھرائی۔ اس نے ''ہا'' کی آواز نکالی اور ایک طرف چل دیا۔ جمال باہر لان میں نکلا۔ ایک رنگیلے فیزنٹ کو پکڑا اور اس کے پاؤں سے سونے کا پترا اُتار کر جیب میں ڈالا۔ فورمین اب سامنے تھا۔ جمال کی حرکت پر گونگی ہنسی ہنسا۔ جمال گونگوں کی ہنسی سے ہمیشہ خائف رہتا تھا۔ سر پر پاؤں رکھ کر بھاگا۔ جنگل میں سانس برابر کر رہا تھا کہ گونگا پھر سامنے آ کر ہنسا۔ اب تو جمال پوری قوت سے مغرب کی جانب بھاگا۔ گھٹنوں پر ہتھیلیاں رکھ کر ہانپ رہا تھا کہ گونگا پھر سامنے آ کر کھڑا ہوگیا۔ ڈانگری کی بڑی اور بھوری جیبوں سے چار سیب اور دُھندلے مومی لفافے میں

بھرے بادام، اخروٹ، چلغوزے نکال کر جمال کے آگے زمین پر رکھے۔ واپس مُڑا اور لمبے ڈگ بھرتا ہوا دیودار کے جنگل میں غائب ہو گیا۔ جمال کو احساس ہوا کہ وہ بھوکا ہے۔ اس نے پھل اور خشک میوے کوٹ کی جیب میں ڈالے اور آہستہ آہستہ غروبِ آفتاب کی جانب چلنے لگا۔ کھلے دروازے سے سارنگی کی آواز دہلیز سے بہتی ہوئی، پتھروں کی مختصر راہداری عبور کر کے گھاس میں جذب ہونے لگی۔ وہ داخل ہوا۔ ماس ماسٹر سارنگی پر اور بابو بنگالی طبلے پر موجود تھے۔ جمال کے چہرے کو ماس ماسٹر نے غور سے دیکھا اور سارنگی کے تاروں پر عمودی اُنگلیوں سے ماروے کا رنگ بھرا۔ راگ رویا تو طبلے نے ماتم کیا۔ طبلہ پیٹا تو جمال نے گریہ کیا۔ روتے روتے قالین پر منہ کے بل کر گیا۔ ارغوانی رنگ کا ایک سیب جو جیب سے نکل کر قالین پر آ گرا اسے اپنا رنگ بتاتا تھا، جمال نے واپس جیب میں رکھا۔ دروازے سے باہر نکل آیا۔ رات ہو گئی تھی۔ مغرب میں لَو آسمان کی جانب اُٹھ رہی تھی۔ ایک سیب کھاتے ہوئے جمال پہاڑ اُتر رہا تھا۔ کسی کی دانستہ ٹھوکر سے لڑکھڑا کر گرا۔ اوندھے منہ۔ کھوپڑی پر کوئی سخت شئے دباؤ دے رہی تھی۔ وہ تو ریوالور نے تیار ہو کر کلک کی آواز نکالی تو جمال کو اندازہ ہوا کہ خطرے میں ہے۔ اس نے لیٹے لیٹے اپنے ہاتھ گھاس پر رکھ دیئے۔

''اچھا تو یہ تم ہو جمال؟''

جمال نے گھوم کر دیکھا۔ ایک ہیولہ اس کے اُوپر کھڑا تھا۔ اس نے آواز سے اندازہ لگا لیا تھا کہ یہ کون ہے۔

''مجھ پر پھٹ جاؤ۔ پلیز۔'' جمال نے اِلتجا کی۔

''میں کسی مناسب موقع پر پھٹوں گا۔'' ہیولہ جمال کی استدعا مسترد کرتے ہوئے واپس مڑا اور چلا گیا۔

بس کے اڈے پر جمال نے بہت دِنوں بعد لوگوں کا اژدہام دیکھا۔ سوٹ

کیس بس کی چھت پر اُٹھائے ہوئے بے چین چہرے، نقابی آنکھوں سے شیر خوار بچوں کو جھلاتی ہوئی بے کل آنکھیں، بس کی اچھی سیٹوں پر قبضہ کرتے ہوئے چھریرے نوجوان، چائے کے کھوکھے پر چار پائیوں میں دبے ہوئے، پرچوں میں ڈال کر چائے کی حدت اُڑاتے ہوئے لمبے سفر کے احتمالی مسافر، چائے بناتے ہوئے بڑے، چائے کے برتن سنبھالتے ہوئے چھوٹے، سفر کی ہاؤ ہو سے لطف اندوز ہوتے ہوئے فارغ البال تماشاگر، اشیائے خورونوش بیچتے ہوئے خوانچہ فروش، تحائف، پارچے اور سفری لوازمات لکڑی کی دُکانوں میں سجائے ہوئے منتظر دوکان دار۔ جمال نے اتنی چہل پہل، رونق، شور، آوازوں کی آمیزش اور کلبلاہٹ، پسینے اور سانسوں کی بُو اور پکارتے ہوئے کنڈیکٹروں کی ہاؤ ہُو بڑے عرصے کے بعد سنی تھی۔ اس کے اعصاب جواب دینے لگے۔ سنبھل کر بس کے ڈرائیور کے پاس پہنچا اور اسے ایک کونے میں لے جا کر بولا:

''شہر جانا ہے۔ پیسے نہیں ہیں۔''

ڈرائیور نہایت مضحکہ خیز مسکراہٹ پر خفت کا چھڑکاؤ کر کے بولا:

''تو یہیں رہو۔ بس ہے کوئی خیرات خانہ نہیں ہے۔''

اس سے پیشتر کہ ڈرائیور اپنا دامن چُھڑا کر چلا جاتا، جمال نے جیب میں ہاتھ ڈالا۔ سونے کا کنگن اور ہیرے کی کنی نکالی۔ جب سونے کا پتر اہاتھ میں لیا تو رنگوں بھرا ایک فیزنٹ جیب سے نکل کر فضا میں پرواز کر گیا۔ رات نے ست رنگی آنچل اوڑھ لیا۔ جمال نے حواس مجتمع کر کے کہا:

''یہ ہے۔''

''یہ تو بوت ہے۔ بو ووت۔'' ڈرائیور نے نسوار کی ڈلی نچلے مسوڑھے میں رکھتے ہوئے کہا۔

''شہر میں جا کر بیچوں گا۔ تمہارا کرایہ چکا دوں گا۔''

''کتنا دو گے؟''

''کتنا لو گے؟''

''تیسرا حصہ۔''

''ٹھیک ہے۔''

ڈرائیور جمال کے اثاثے سے اتنا متاثر ہوا کہ بس کی اگلی سیٹ دیتے ہوئے بولا:

''ساری سیٹ تمہاری۔ تیسرا حصہ ہمارا۔''

''ٹھیک ہے۔''

''وہاں شہر میں ایک جوہری ہمارا یار ہے۔ ہمارا کیا ہے اپنی ماں کا یار ہے۔ اس کو بیچیں گے۔ ٹھیک؟''

''ٹھیک۔''

بس چلی۔ ڈرائیور نے شور اور ڈیزل کی بو میں گیئر باکس کے اُوپر پہلا لچکیلا گیئر جمال کی اگلی سیٹ کی طرف روانہ کیا۔ نسوار کی ڈلی کو نچلے ہونٹ میں دبائے کجراری آنکھوں سے معنی خیز مسکراہٹ دی۔ آنکھوں کو بھینچتے اور پھر ونڈ سکرین پر دیکھتے ہوئے۔ جمال نے شیشے کے باہر جھانکا۔ ایک رنگین فیزنٹ بس کے آگے اُڑتا ہوا راستہ دکھا رہا تھا۔ فیزنٹ اُڑتے اُڑتے تھک گیا۔ دانیال نے اپنے ہاتھ کا ٹُنڈ آگے بڑھایا تو فیزنٹ اس پر عقاب کی طرح بیٹھ گیا۔ بس چوتھے گیئر میں تھی۔ سڑک نے پہلا خم دار پیچ کھایا تو بس نے اپنے گیئر واپس لیے۔ نیند نے غلبہ کیا اور جمال نے اُونگھ نیند کی جھولی میں ڈال دی۔ جمال کئی صدیاں سوتا رہا۔ اچانک اسے اپنے زانوؤں پر سرسراہٹ محسوس ہوئی۔

کنڈیکٹر اپنی پوروں سے اس کی جیبوں میں جھانکنے کی کوشش کر رہا تھا۔ جمال نے کھڑے ہو کر طمانچے کا اتنا بھرپور وار کیا کہ کنڈیکٹر آہنی سیٹوں کے درمیانی

راستے میں گرا۔ ڈرائیور نے چرچراتی ہوئی بریک لگائی۔ سیٹ سے نکل کر کنڈیکٹر کو اُٹھایا۔ گریبان سے پکڑا۔ درمیانی فولڈنگ دروازہ کھول کر باہر لے گیا اور سڑک پر اس کی ٹھکائی کرنے لگا۔

''بے غیرت۔'' ڈرائیور نے کنڈیکٹر کے پیٹ میں لات جمائی۔

''کوئی بات نہیں۔ دفع کرو۔'' جمال نے سفارش کی۔

''بے غیرت۔'' یہ کہتے ہوئے ڈرائیور واپس ڈرائیونگ سیٹ پر آ کر پہلا گیئر لگانے لگا۔ اس نے ایک بار پھر جمال کو کجراری آنکھوں سے معنی خیز مسکراہٹ دی۔ بس چلنے لگی۔

شہر تھا یا آوازوں کی نوحہ گری تھی۔ بدبو کی دھنک قوس لگائے بیٹھی تھی۔ دھنک کا بالا بنفشی رنگ میلا اور زیریں سرخ گدلا تھا۔ دیواروں کی بنیادوں میں دفن پیشاب کی بُو سے لے کر ہر بولتے دہن کی سانسوں تک بدبو تھی۔ اُبکائی بھری، متلی بھری، غشیان بھری، لوگ دوڑتے پھر رہے تھے۔ اِدھر اُدھر۔ مقصد، بے مقصد۔ اژدہام، شور، افراتفری۔ سرخ سگنل کے ڈیم پر ٹریفک کا پانی رُکتا اور سبز رنگ کا گیٹ اُٹھتے ہی ریلے میں بدل جاتا۔ کاروں کے شیشوں میں مقید عورتیں، مرد، بچے، تیوروں کی کراہت لیے آ رہے تھے، جا رہے تھے۔ جمال کے حساس ذہن میں بے چینی مدوجزر کھاتی تھی۔ اس سے پیشتر کہ وہ چکرا کر گر جاتا۔ ڈرائیور اسے بازو سے پکڑ کر ایک جانب روانہ ہوا۔ ہموار فٹ پاتھ پر جمال کو ٹھوکریں کھاتا دیکھ کر ڈرائیور بولا:

''تمہارا پاؤں خراب ہے یا دماغ۔''

دونوں بڑی سڑک سے تپلی گلی میں داخل ہوئے۔ بڑے بڑے چمکیلے اشتہاری بورڈ اب ختم ہو چکے تھے۔ دو ایک گلیوں میں گھومتے ہوئے وہ ایک نیم تاریک دکان میں داخل ہوئے جس کے ماتھے پر شرجیل زرگر کا بورڈ تھا۔ شوکیس طلائی زیورات سے چمک

رہے تھے۔ ملازمین گاہکوں کے منتظر نگاہوں کی نقرئی چمک سے جھلملا رہے تھے۔ شیشے کا چھوٹا دروازہ کھول کر دونوں ایک مختصر کمرے میں داخل ہوئے۔ ڈرائیور نے زرگر کو گلے لگا کر بھینچا۔ ماں بہن کی گالیاں دیں اور چائے منگوانے کو کہا۔ زرگر متمول دوکانداروں کی روایتی کاہلی اوڑھے سست روی سے حرکت کرتا تھا۔ پستہ قد، موٹی گردن اور باہر کو نکلی ہوئی آنکھوں والا یہ شخص چہرہ موڑتا تو آنکھ کے ڈھیلوں کا اُبھار اور نمایاں ہو جاتا۔ یوں محسوس ہوتا جیسے کاسۂ چشم آنکھوں کو بھینچ کر باہر گرا دیں گے۔ نیلی جینز پر کُھلا سفید کرتا جس میں توند کا اُبھار تناؤ پیدا کرتا تھا۔ درمیانی عمر کے زرگر کے بال نہایت سیاہ رنگے ہوئے تھے۔

''مال بیچنا ہے۔'' ڈرائیور نے مخصوص مسکراہٹ نکالی جو اتنی شدید تھی کہ ٹھوڑی کساؤ سے لمبی ہو گئی۔

''بیچو بھائی بیچو۔''

''نکالو۔'' ڈرائیور نے جمال کے زانو پر ہاتھ رکھ کر دبایا۔

جمال نے سونے کا کنگن، پترا اور ہیرے کی کنی میز کے شیشے پر رکھی۔ زرگر نے کنگن اُٹھایا۔ آنکھوں سے پرکھا۔ قریب پڑی ہوئی کسوٹی کے کالے پتھر پر کنگن کو رگڑ کر سونے کا کَس دیکھا۔ ہتھیلی پر رکھ کر ہلایا۔ قیراط کا اندازہ کیا۔

''بہت پرانا ہے۔'' زرگر بولا۔

''اصلی اے۔'' ڈرائیور نے گفتگو کو مہمیز دی۔

''ڈیزل کی بس چلانے وانے! تمہیں کیا معلوم اصلی ہے یا نقلی ہے۔''

زرگر نے ڈرائیور کو نرمی سے ڈانٹتے ہوئے اگلے کمرے میں گولڈ لیبارٹری کو دیکھا۔ ایک لمحے کو اس کا ذہن سونے کو ریفائنری کے ذریعے پرکھنے پر مائل ہوا۔ تاکہ وہ سونے کی قوتِ اضافی معلوم کرے اور چاندی یا تانبے کی ملاوٹ کا تعین بھی کرے۔ مگر کنگن اتنا

خوبصورت تھا کہ کٹھالی میں پگھلانے کا خیال کافور ہو گیا، پھر اس نے سونے کے پترے کو ہتھیلی کے ترازو میں تولا۔

''دونوں سونے انڈیا کے ہیں۔'' زرگر نے ہلکی آواز میں کہا۔

چائے پیتے ہوئے زرگر نے ہیرے کی کنی اُٹھائی اور قلم نما اوزار سے اس کی حقیقت معلوم کی۔

''بلجیم کے تراشیدہ نگ کا ٹکڑا ہے۔'' زرگر نے فیصلہ دیا اور سیف کھول کر روپوں کے بنڈل جمال کی طرف بڑھائے۔ ڈرائیور نے فوراً فرمائش کی کہ دس ہزار روپے مزید شامل کرے۔ زرگر کی آنکھیں مزید باہر نکل آئیں۔ چارو ناچار اس نے مزید رقم پیش کی۔ ڈرائیور نے اپنی کتر بیونت کی۔ جمال نے رقم اُٹھائی۔ دوکان سے باہر نکلتے ہی ڈرائیور نے مصافحہ کیا اور تیز تیز قدم اُٹھاتا ایک بغلی گلی میں غائب ہو گیا۔

شہر بہت بھاری تھا۔ سارے میں ایک گونج گونجتی تھی۔ سیٹیاں سی بجتی تھیں جیسے ہوا چلنے سے پیڑ بجاتے ہیں۔ کوئی چہرہ شانت نہیں تھا۔ کیا بچے کیا بوڑھے تیوروں میں گھبراہٹ اُٹھائے ویران آنکھوں سے بھاگے دوڑے پھر رہے تھے۔ بعض اوقات تو یوں محسوس ہوتا جیسے صور پھونکا جا چکا ہے جیسے ابھی زمین لپیٹ دی جائے گی اور آسمان پھٹ جائے گا اور لوگ سروں سے قبروں کی مٹی جھاڑ کر کہیں اکٹھے ہو جائیں گے۔ پیشاب، پسینے اور سانس کی بو میں گاڑیوں کا دھواں ادھم مچاتا جیسے جوہڑ میں نہاتے ڈھور ڈنگر سموں کی تھاپ سے تہہ میں بیٹھی کثافت اُٹھاتے ہیں تو جوہڑ کا گدلا رنگ ہلکا ہو جاتا ہے۔ جمال کے سر میں سخت تناؤ تھا۔ وہ چلتا چلتا کئی گھنٹے بعد اپنے ایک کمرے کے گھر کے سامنے رُکا۔ اس کی توقع کے خلاف تالا نہیں تھا۔ اس نے دروازہ کھٹکھٹایا۔ مالک مکان نے دروازہ کھولا تو جمال کو دیکھ کر دنگ رہ گیا اور بے اختیار بولا:

''ہمارا خیال تھا کہ آپ فوت ہو چکے ہیں۔''

''نہیں ۔ابھی ہونا ہے۔'' جمال نے اطلاع دی۔

''اتنے سالوں بعد؟ کہاں تھے آپ؟؟''

'' کتنے سال ہو گئے ہیں؟'' جمال نے دیوار پر آویزاں گھڑی کی طرف دیکھتے ہوئے کہا جو چل رہی تھی۔ وقت گیارہ بج کر سات منٹ نہیں تھا۔

''یعنی آپ کو معلوم نہیں؟''

''نہیں۔''

□□□

ہال میں بیضوی میز کے مرکز میں گملوں میں کھڑے پھولوں کا اژدہام تھا۔ میٹنگ شروع ہونے میں چند لمحے باقی تھے۔ ملک کے اعلیٰ ترین ذہن جمع تھے۔ میٹنگ کے تصوّر سے لچکیلی کرسیوں میں تلملاتے ہوئے وزراء، علماء ماہرین اور معاونین دیوار کے اس گھڑیال پر نظریں جمائے ہوئے تھے جو چل رہا تھا۔ تعلیمی پالیسی پر اعلیٰ ترین میٹنگ کی تیاریاں مکمل تھیں۔ قومی لائحۂ عمل ترتیب دیا جانا تھا۔ نیشنل ایکشن پلان، کمپیوٹر کے ماہرین ملٹی میڈیا کی برقی استعداد جانچنے میں مشغول، ویٹرز برابر کے ڈائننگ ہال میں کٹلری کی سجاوٹ میں سرگرداں، سکیورٹی اسٹاف ہال کے دروازوں میں مستعد اور صاحبِ صدارت کا ذاتی سٹاف مجموعی صورتِ حال کا جائزہ لینے میں مصروف تھا۔ صاحبِ صدر کی آمد پر بھاری کسمساہٹ کے ساتھ کمیٹی کے سب ممبر احتراماً کھڑے ہوئے۔ بغلوں اور زیرجاموں میں پسینے نے نمی کی۔ صاحبِ صدر نے مربیانہ مسکراہٹ سے بیٹھنے کا اشارہ کیا۔ پیشتر اس کے کہ لحنِ داؤدی رکھنے والی ایک پُرنور شخصیت تلاوت شروع کرتی۔ ایک صاحب نے شتابی سے اپنے مائک کی سرخ روشنی منوّر کی اور انتہائی کریہہ آواز میں تلاوت کا آغاز کیا۔ آواز اس قدر بھدی تھی کہ کانوں کے پردے دہائی

دیتے تھے۔ مگر یہ صاحب تھے کہ نیم وا آنکھوں سے آواز پر رقت طاری کیے ہوئے تھے۔ لعابِ دہن گوشۂ لب بھگوتا تھا۔ قریب تھا کہ ایک بھاری رال نچلے ہونٹ کا بند توڑ کر ٹھوڑی بھگوتی، ان صاحب نے اختتام کیا اور شڑاپ سے گرتی ہوئی رال کو اندر کھینچ کر حلق میں اُتارتے ہوئے دادطلب نظروں سے صاحبِ صدر کو دیکھا اور ٹشو پیپر کھینچ کر آنسو پونچھے۔

صاحبِ صدر نے ناک پر چشمہ جمایا۔ ایک بھاری فولڈر کھول کر تعلیم کی اہمیت تاریخی پس منظر میں اُجاگر کیا۔ میٹنگ کی اہمیت سے آگاہ کیا اور تمام ذہین لوگوں کا شکریہ ادا کیا جن کی شبانہ روز محنت سے قومی لائحۂ عمل مرتب ہوا۔ جوں ہی صاحبِ صدر نے نظریں اُٹھائیں، کمپیوٹر کے کی بورڈ پر پہلے سے جمی انگشتِ شہادت نے جُنبش کی اور نیشنل ایکشن پلان اسکرین پر روشن ہوگیا۔ ایک منحنی شخص نے اپنا مائک آن کیا اور اسکرین پر چلتی ہوئی ہر سلائیڈ پر رواں تبصرہ کیا۔ الفاظ کا چناؤ، فقروں کی ساخت، آواز کا زیر و بم، چہرے کے تاثرات کا ہلتے ہوئے ہاتھوں سے تال میل، آنکھوں کی حرکت، اعداد و شمار کا معیار اور پابندیٔ وقت کا لحاظ ایک طویل مشق کا نتیجہ تھا۔ آموختہ خوانی آموختنی تھی۔ محفل میں سماں بندھ گیا۔ اب لائحۂ عمل پر بحث کا آغاز ہوا۔ مختلف لوگوں نے لجاجت بھری پیشگی اجازت سے گفتگو آغاز کی۔ شکریے کے ساتھ اختتامیہ کیا اور صاحبِ صدر کی اقبال مندی کا اعتراف کیا۔

"جنابِ صدر کی اجازت سے عرض کروں گا کہ دُنیا بھر کے ذہین ترین کنسلٹنٹ اس کاوش میں معاون ثابت ہوئے۔ گو تاریخی پس منظر، موجودہ تعلیمی صورتِ حال اور اعداد و شمار ہم نے فراہم کیے۔ مگر ہمارے غیر ملکی ماہرین نے بہت عرق ریزی کی۔ موڈیلیٹیز طے کیں۔ ماڈیول بنائے اور اس کانسپٹ پیپر کو بنیاد بنایا جس پر سب کا اتفاق تھا۔ پھر انھوں نے تمام موڈیلیٹیز کو ڈیٹیل کیا اور وہ میتھیڈالولی ترتیب دی جس کا ہمیں

ہمیشہ سے انتظار تھا۔"

نیم برہنہ سر والے اس شخص کی تقریر کو ان صاحب نے اُچک لیا جنھوں نے اپنی رقت بھری آواز سے لحنِ داؤدی کی توہین کی تھی۔

"میں اتفاق کرتا ہوں اور جناب کو مبارک باد پیش کرتا ہوں کہ آپ کے دور میں یہ تاریخی دستاویز لکھی گئی۔ آپ تاریخ رقم کر رہے ہیں اور ہم خوش قسمت ہیں کہ اس کارِ خیر میں ہم آپ کے حقیر معاونین ہیں۔"

آنکھوں کے گرد سیاہ حلقے لپیٹے ایک صاحب نے ہچکچاتے ہوئے اپنا لرزیدہ ہاتھ نیم بلند کر کے بات کی اجازت چاہی۔

"میں یہ بات گوش گزار کرنا چاہوں گا کہ غیر ملکیوں کے علاوہ ہمارے ملک کے ماہرین کی کاوش بھی قابلِ ستائش ہے۔ انھوں نے اس پلان کو نہ صرف حقیقت کا رنگ دیا بلکہ ایسی مؤثر تجاویز شامل کیں جن کے، اگر میرے مولا نے چاہا، تو دُور رس نتائج مرتب ہوں گے۔ جمال صاحب کی رہنمائی کا میں خاص طور پر ذِکر کروں گا۔ جو اس پلان کے رُوحِ رواں ہیں۔ انھوں نے وہ وژن فراہم کیا جس کے اردگرد ہم لوگوں نے پالیسی کو بنا۔"

صاحبِ صدر نے بایاں گوشۂ لب کھینچ کر مسکراتے ہوئے جمال کو بولنے کی دعوت دی۔

"میں یہ عرض کروں گا کہ اِدھر اُدھر کی باتوں کی بجائے ہمیں اپنی توجہ بنیادی موضوع پر مرکوز کرنی چاہیے۔ اس پلان کے چار ستون ہیں۔ پہلا—"

جمال بات کرتے کرتے رُک گیا۔ اچانک ایک عجیب سا احساس اس پر غالب آ گیا۔ اسے اپنے معدے کے نیچے سرسراہٹ محسوس ہوئی۔ جو یکا یک سنسنی میں تبدیل ہوئی۔ سرسراہٹ ریڑھ کی ہڈی تک پہنچی اور مہروں کی سیڑھیاں اُترنے لگی۔

جمال نے گھبرا کر اپنے پیٹ پر ہاتھ رکھا۔ مائیک کی سرخ روشنی بند کرتے ہوئے بولا:

''زمین ہلنے والی ہے کچھ دیر میں۔ زلزلہ آنے والا ہے۔''

وہ کرسی سے اُٹھا اور ہال سے باہر نکل گیا۔ لفٹ کے ذریعے گراؤنڈ فلور پر آیا اور سیڑھیاں اُتر کر وسیع و عریض لان کے ایک بنچ پر بیٹھ گیا۔ پندرہ بیس منٹ بعد زمین ہلنے لگی۔ تھرتھراہٹ نے زور پکڑا۔ عمارت کے شہ دروازے کے سامنے لٹکا ہوا فانوس پنڈولم کی طرح سفر کرنے لگا۔ گڑگڑاہٹ سنائی دینے لگی۔ شہر میں کئی مقامات سے گرد اُٹھتی دکھائی دی۔ چیختا پکارتا اور بے ہنگم شور کرتا لوگوں کا ہجوم عمارت سے نکلا جس میں سب ذہین لوگ بھی شامل تھے۔ لوگ لرزہ براندام تھے۔ چہروں کے تیور بگڑے ہوئے تھے۔ خوف و ہراس سے آنکھیں پھٹی جاتی تھیں۔ یہ ہجوم ایک دائرے کی شکل میں اس بنچ کے گرد جمع ہو گیا جہاں جمال بیٹھا سگریٹ پی رہا تھا۔ لوگوں نے اس کے پاؤں چھوئے، ہاتھوں کو چوما۔ کچھ لوگ دست بستہ سر جھکائے کھڑے تھے گویا جمال نہ ہوا کوئی درگاہ ہوئی، کوئی آستانہ ہوا۔ سرگوشیاں ہو رہی تھیں۔ اندازے لگائے جا رہے تھے۔ عورتوں کی حالت دیدنی تھی۔ عقیدت اور وارفتگی سے بچھی جاتی تھیں۔ ان کی آنکھوں میں عقیدت، احترام، محبت اور ہوس کا آمیزہ تھا۔ پھولی ہوئی سانسیں چھاتیوں کے اُبھار نمایاں کرتی تھیں۔ زلزلہ رُکا ہی تھا کہ ایک اور زور کا جھٹکا لگا۔ بہت سے لوگ جمال کے قدموں میں گر گئے جن میں خواتین کی تعداد زیادہ تھی۔

''گھبراؤ نہیں۔ بس یہ آخری جھٹکا تھا۔'' جمال نے بتایا۔ ریڑھ کی ہڈی اُترتی سرسراہٹ مُہروں کی سیڑھیاں طے کر چکی تھی۔

''ہمیں تو اس بات کا علم ہی نہیں تھا کہ ہمارے درمیان ایسی ہستی تشریف فرما ہے جو کشف و کرامات کا مرجع ہے جو غیب کا علم رکھتی ہے۔ یہ مقام آپ کو کیسے عطا ہوا؟''

ایک شخص کے پوچھنے پر جمال نے انگشتِ شہادت آسمان کی طرف بلند کرتے

ہوئے خاموشی اختیار کی۔اس پر تو ہجوم بے قابو ہو گیا اور عقیدت کے تمام کلمات جمال پر نچھاور کر دیئے۔اسے احترام کے ساتھ ایک لمبی سیاہ گاڑی میں بٹھایا گیا جس کے ایک پہلو میں جھنڈا پھڑ پھڑاتا تھا۔شہر کے خوبصورت بنگلے میں رہائش کا بندوبست ہوا جو آراستہ و پیراستہ تھا۔

□□□

طبقہ امراء میں داخل ہونا جمال کا اوّل اوّل عجیب، حیرت ناک اور خوش کُن لگا۔ جیسے غریب یا متوسط طبقے کی دُلہن کو رُخصتی کے پہلے ہفتے میں محسوس ہوتا ہے۔ بعد میں اسے ساس اور نندوں کے تیور کی وضاحت ہوتی ہے۔ جمال کے بنگلے میں دُنیا جہان کی آسائش تھی۔ پورچ میں تین بیش قیمت گاڑیاں بشمول ایک بلٹ پروف کار کے۔ آراستہ کمرے اتنے صاف کہ دیکھنے سے میلے ہوتے۔ ہلکی روشنیوں میں نہائی ہوئی بار جس میں دُنیا کے چنیدہ مشروبات خوبصورت ساقی کے زیرِ انتظام جھلملاتے۔ عقب میں پائیں باغ سے ذرا پہلے شاندار سوئمنگ پول جس کے پانی کی نیلاہٹ میں روشنیاں ہلکورے کھاتی تھیں۔ ملازموں کا دستہ ہر دم مستعد۔ سکیورٹی گارڈ کی ٹکڑی میں چند کمانڈو بھی شامل تھے۔ لیکن یہ تمام سہولیات بتدریج ملیں۔ جوں جوں جمال کے جوہر کھلتے گئے آسائش میں اسی تناسب سے اضافہ ہوتا گیا۔ شروع میں اِکادُکا ملازم اور بار میں شراب کی گنی چنی بوتلیں تھیں۔ سکیورٹی بھی بعد میں ڈیوٹی پر آئی۔ پہلے دن تو ایک ہی گارڈ تھا مگر تھا مستعد۔

جمال اپنے گارڈ کے ساتھ چندن روڈ کے فٹ پاتھ پر چلتا جا رہا تھا۔ یکا یک اس کی نظر سامنے سے آتے ہوئے ایک کمسن لڑکے پر پڑی جو سفید میلے شلوار قمیص میں

ملبوس تھا۔ چلنے سے اس کے ملبوس کی شکنیں اُچھلتی کودتی تھیں۔ سیاہ رنگ کی واسکٹ ناپ سے ذرا بڑی تھی۔ کپڑوں سے الگ ہلتی تھی۔ لڑکا احتیاط سے لوگوں کے درمیان سے گزرتا تھا جیسے تازہ تازہ پیٹ کا آپریشن ہوا ہو اور چھونے سے ٹانکے ہلنے کا احتمال ہو جب وہ قریب سے گزرا تو جمال نے اس لڑکے کی مردہ آنکھیں دیکھیں۔ جونہی آنکھیں چار ہوئیں، جی اُٹھیں۔ جمال مڑا اور اس کے پیچھے ہولیا۔ لڑکے نے لاشعوری طور پر لمبے ڈگ بھرتے ہوئے سڑک پار کرنے کی کوشش کی مگر ٹریفک کے رَش کے باعث رُک گیا۔ جمال نے گارڈ کے پہلو سے پستول نکالا۔ لڑکے کے سر کی پُشت پر فائر داغ دیا۔ لوگ افراتفری میں بھاگنے لگے۔ ٹریفک بے ہنگم ہو کر غائب ہوئی سوائے چند گاڑیوں کے جو ٹکرا گئیں۔ سائرن بجاتی گاڑیاں پہنچیں۔ جمال لڑکے کی لاش کے پاس اطمینان سے کھڑا تھا۔ ایک ہاتھ میں پستول اور دوسرے میں سگریٹ لیے۔ اس کا گارڈ غائب تھا۔ حیرت میں ڈوبے سپاہی کو پستول پیش کرتے ہوئے جمال نے کہا:

''اس کی بارُودی جیکٹ احتیاط سے ڈیفیوز کر دو۔''

بس پھر کیا تھا۔ پہلے شہر اور پھر ملک کے کونے کونے میں خبر پھیلی۔

''آخر آپ کو کیسے پتا چلا کہ وہ خودکش حملہ آور تھا؟''

''یہ بھی ممکن تھا کہ آپ کا اندازہ غلط ہو!''

''کیا آپ پہلے سے اسے جانتے تھے؟''

''کیا آپ ہر خودکش کو پہچاننے کی صلاحیت رکھتے ہیں؟''

''ہمیں کیوں نہیں پتا چلتا؟''

''خودکش کی کوئی ایسی نشانی بتائیے جسے سب لوگ آسانی سے سمجھ لیں۔ آپ کہتے ہیں کہ خودکش کا جسم اور چہرہ دو الگ شخصیات ہیں جیسے ایک جسم پر کوئی اور سر ٹرانسپلانٹ کر دیا گیا ہو۔ یہ تشخیص کرنا تو بہت مشکل ہے۔ کوئی اور علامت بتائیے۔''

''کیا آپ کو بارُودی جیکٹ کی بُو آتی ہے یا آپ کپڑوں کے اندر کی چیزیں دیکھ لیتے ہیں؟''

گویا بات کی رڑ لگنے لگی۔ جمال اکثر سوالوں کا جواب خاموش مسکراہٹ سے دیتا۔ مسلسل اصرار پر جھلّا کر کچھ کہہ دیتا۔ ملک کی انٹیلی جنس ایجنسیوں کے کرتا دھرتا لوگ جمال کو عشائیے پر مدعو کرنے لگے۔ غیر ملکی سفیر ملاقات کے لیے وقت لیتے۔ رقص و سرود کی محفلیں برپا ہوتیں۔ متجسس اور آگاہی طلب لوگ نشے میں جمال کو کُریدتے، جیسے خزانے کے متلاشی زمین کو پلکوں کے برش سے صاف کرتے کرتے صندوق کے ڈھکنے تک جا پہنچتے ہیں۔ عورتیں جام پیش کرتے ہوئے اتنا جھک جاتیں کہ سینہ بند سے سینہ الگ ہو جاتا۔

صحرا میں رات کو شکار کھیلا جا رہا تھا۔ مشاق شکاریوں کا ایک قافلہ لمبی جیپوں میں سوار صحرا نورد تھا۔ زمین پر ہرن، نیل گائے اور سؤر اور فضا میں سرچ لائٹ سے پرندوں کا شکار جاری تھا۔ ایک شکاری تو اتنا شارپ شوٹر تھا کہ ابھی تک اس نے ایک بھی فائر ضائع نہیں کیا تھا۔ شکار کے اس ممنوعہ علاقے میں ایک کھلی اور وسیع گاڑی بے سدھ جانوروں اور پرندوں سے بھرتی جا رہی تھی۔ شکار کرنے والوں میں وہ بااثر لوگ پیش پیش تھے جو ایک آدھ پرندہ مارنے والے مجرم کو داخلِ زنداں کر کے میڈیا کو رپورٹ کرتے تھے۔ اچانک ہاتھ کے اشارے سے جمال نے گاڑی رکوائی۔ باہر نکل کر چند قدم ٹہلا۔ لوگ سمجھے کہ شاید تھک گیا ہے۔ مگر اس نے حکم دیا کہ کل اس جگہ کی کھدائی شروع کروا دیں۔ یہاں بہترین نسل کے کوئلے کا ایک شہر دبا ہوا ہے۔ وہ کوئلہ کہ جس میں دھواں بہت کم اور آگ بہت زیادہ ہے۔

ایک لق و دق ویرانے میں بڑے ٹائروں والی گاڑی پتھریلی زمین پر رواں تھی۔ لوگ نواب صاحب کے دُور افتادہ مہمان خانے کی جانب بڑھ رہے تھے جہاں محفلِ رامش و رنگ برپا ہونے کو تھی۔ ٹائروں کی آواز بدلنے لگی۔ بھنبھناہٹ سے گونج،

گونج سے ہوک اور ہوک سے کوک نکلی۔ جمال نے سگریٹ کا کش لیتے ہوئے بتایا:

''زمین کے نیچے ہوا ہے جو آگ دِکھانے پر جلتی ہے۔''

''آپ کا مطلب ہے۔ گیس؟''

''ہوں۔''

''کتنی؟''

''بہت۔''

''سگریٹ بجھا دیجیے صاحب، گیس ہے۔''

گاڑی کے اندر ایک قہقہہ پھٹا۔ جمال کی ایک پیشین گوئی غلط ثابت ہوئی جب ایک نشان زدہ مقام پر سونے کی بجائے تانبا نکلا۔

سارہ کو ساقی گری کا سلیقہ تھا۔ وہ جمال کے خمار کو پہچانتی تھی۔ موقعے کی مناسبت سا ہے جام گردش میں لاتی۔ وقت کی نبض دیکھ کر مے تجویز کرتی۔ کبھی دُور کو اختصار تو کبھی طوالت دیتی۔ گفتگو کا درجۂ حرارت دیکھ کر پانی کی آمیزش کرتی تھی۔ قدم پہلے لڑکھڑائے یا زبان، وہ غور کرتی تھی۔ اسے علم ہوتا تھا کہ آج زبان درازی پیش دستی کرے گی اور دست درازی پس روی۔ آج دشنام طرازی رواج کرے گی اور آج بندِ قبا کھلنے سے پہلے وہ بھید کھلیں گے جنھیں تلاش کرنے کے لیے بڑے بڑے سراغ رساں پاپڑ بیلتے ہیں۔ اسے نشے کے الاؤ پر ناز و ادا کے تیل کا چھڑکاؤ کرنا آتا تھا مگر آج رات وہ پہلی بار گھبرائی۔ وارفتگی میں جمال نے نیم وا آنکھوں سے پلیٹ میں پڑی ہڈی کو دیکھا۔ ایک کوندا دماغ میں لپکا۔ سارہ کے رُخسار سے اپنا گال اُٹھایا۔ بیڈ سے پاؤں لٹکا کر بیٹھ گیا اور اس ہڈی کو دیکھنے لگا جو ڈِنر کے بعد پلیٹ میں دھری تھی۔ سینے میں سسکی ہلی اور آنکھوں میں پانی۔ دھاڑیں مار کر رونے لگا۔ رُندھی آواز میں بولا:

''میں ایک سگِ آوارہ۔ ماں کا گھسیارا۔ ٹانگوں میں دُم دبائے، زبان نکالے

کالی پہاڑی پر کھڑا تھا۔ ضیافت ہو رہی تھی۔ کسی نے بھید بھری ہڈی میری طرف پھینکی۔ بھنبھوڑنے لگا۔ واپس شہر میں آیا ہوں تو صاحبِ کشف وکرامات ہوں۔ لوگ پاؤں دھو دھو کر پیتے ہیں مگر میں تو آوارہ کتا ہوں۔ میری مَیں کیوں نہیں مرتی۔ پرندے میرے کاندھے پر کیوں نہیں بیٹھتے، مجھے شہر سے بُو کیوں نہیں آتی۔ سانپ میرے پاؤں پر بغیر کاٹے کیوں نہیں گزرتا۔ میری گھڑی گیارہ بج کر سات منٹ کیوں نہیں دکھاتی—''

اس نے سائیڈ ٹیبل پر پڑا گلاس اُٹھا کر کلاک کو دے مارا۔ کلاک دیوار کی کیل سے نکل کر اپنی کرچیوں پر گر گیا۔ سارہ بے اختیار بھاگی اور دروازے کی اوٹ سے جھانکنے لگی۔

''میں نے کیوں اَن لَرن نہیں کیا۔ میرا چہرہ کتابی کیوں ہے۔ میں لفظوں کا دلال کیوں ہوں۔ منافقت کا پلستر میرے دل کی دیوار سے کیوں چمٹا ہے۔ کیوں نہیں جھڑتا یہ پلستر۔ میں معجزے دکھاتا ہوں۔ شعبدہ گری کرتا ہوں۔ لعنت ہے مجھ پر۔ سورج کی پرائی روشنی سے چاند بنا پھرتا ہوں۔ سمندر میں جوار بھاٹا اُٹھاتا ہوں۔ روشن چہروں کو چھوڑ آیا ہوں۔ مُردوں میں رہتا ہوں۔ میری گھڑی گیارہ بج کر سات منٹ کیوں نہیں دکھاتی۔ باقی وقت دکھاتی رہتی ہے—باقی وقت—''

یہ کہہ کر اس نے ٹوٹا کلاک اُٹھا کر ڈریسنگ ٹیبل کے آئینے پر دے مارا۔ شیشے کی کرچیاں اس کے تلووں میں چبھیں۔

''میرے کمرے میں ڈھول کیوں نہیں بجتا۔ میرا جن کیوں نہیں نکلتا۔ کوئی میرا سایہ کیوں نہیں اُتارتا۔ مجھے بو کیوں نہیں آتی۔ میرے ناک کی شریان کیوں نہیں پھٹتی— میں پھر کالی پہاڑی پر جاؤں گا— وہ مجھے بلائے گی— وہ مجھے —بلائے —وہ—''

□□□

جمال اسٹڈی میں بیٹھا کتابوں کی ورق گردانی کرتا رہا۔ پھر ایک انگریزی رسالہ اُٹھایا جو سہ ماہی چھپتا تھا۔ چند صفحے پلٹنے کے بعد اس کی نظر ایک وسیع تصویر پر پڑی، جو رسالے کے دو چکنے صفحات پر پھیلی ہوئی تھی۔ یہ ایک پہاڑی کی تصویر تھی جس میں ایک حویلی کا ہیولہ تھا۔ نیچے دریا بہہ رہا تھا۔ تحریر کا عنوان تھا 'پُراسرار پہاڑی'۔ جمال کے جسم میں سنسنی پھیل گئی۔ عنوان کے نیچے ایک مشہور مغربی تجزیہ نگار کا نام تھا جو تفتیشی صحافت میں ممتاز مقام رکھتا تھا۔ اپنے اختصار اور توازن کے باعث بھی مشہور تھا، صحافیوں میں عموماً جن کا فقدان ہوتا ہے۔ جمال پھٹی ہوئی آنکھوں سے تحریر میں گم ہو گیا جس کا لب لِباب یوں تھا:

''دلچسپ، انہونے اور پُراسرار واقعات ہر دور میں رُونما ہوتے رہے ہیں اور ہمارا زمانہ بھی ان سے مبرّا نہیں ہے۔ اگر آپ کوہ ہندوکش اور ہمالیہ کے اُوپر اُونچی اُڑان کرتے کرتے ذرا نیچے آئیں تو ایک کالی پہاڑی کو نظر انداز نہیں کر سکتے جو گندمی جسم پر سیاہ تِل کی طرح دکھائی دیتی ہے۔ میں اس تل پر اُترا کیونکہ یہاں کچھ ایسے واقعات رُونما ہو چکے تھے جن کی تہ میں پہنچنا ضروری تھا۔ میں اس پہاڑی مقام کی خوب صورتی

اور کاملیت دیکھ کر دنگ رہ گیا۔ اپریل کا مہینہ تھا اور درختوں پر رنگین پرندوں کی عمل داری تھی۔ بین الاقوامی فوج کے دستے گھوم پھر رہے تھے۔ پہاڑی کے گرد سو مربع کلومیٹر کا علاقہ سیل کر دیا گیا تھا۔ پہاڑی کے اُوپر ایک پرانی حویلی کے کھنڈرات تھے یوں لگتا تھا جیسے اس پر بمباری کی گئی ہے۔ تین ماہ پہلے یہاں تین خودکش حملہ آوروں نے دھماکہ کر کے پچپن غیر ملکی باشندوں کو اُڑا دیا تھا۔ صدیوں سے یہ علاقہ ایک سلطان کے خاندان کی سلطنت تھی۔ قریب دس سال پہلے بین الاقوامی سودے کے تحت ایک کنسورشیم نے یہ علاقہ اونے پونے داموں خرید کر سلطان کو یورپ اور رعایا کو اِدھر اُدھر بھیج دیا۔ رعایا کوئی چار سو لوگوں پر مشتمل تھی۔''

ڈینئل اور کنگ دو نابغۂ روزگار دوست تھے۔ ماہرینِ ارضیات ہونے کے علاوہ چشمِ بینا اور پُراسرار قوتوں کے مالک تھے۔ جہانیاں جہاں گشت تھے۔ گھاٹ گھاٹ کا پانی پی کر پارس ہو چکے تھے۔ بڑی سے بڑی بات ان کے لیے جھانٹ کی جھٹلی تھی۔ ان کی گراں قدر خدمات کے باعث یہ علاقہ ان کے حوالے کر دیا گیا اور ساتھ ہی دس سال کے لیے دس ہزار ڈالر ماہانہ وظیفہ مقرر ہوا۔ کہانی اس وقت موڑ لیتی ہے جب یہ علم ہوا کہ دراصل یہ علاقہ دہشت گردوں کی پناہ گاہ بنتا جا رہا ہے۔ اوّل اوّل تو اس اطلاع کو قابلِ توجہ نہ سمجھا گیا مگر اس پر مہرِ تصدیق اس وقت ثبت ہوئی جب یہاں ایک بین الاقوامی وفد آیا۔ جس نے خطرے کی بُو سونگھی اور مزید ساتھیوں کو یہاں مدعو کیا۔ جب یہ ساٹھ لوگ ڈنر میں مشغول تھے تو تین خودکش حملہ آوروں نے دھاوا بولا اور پچپن لوگ مار دیے۔ ڈینئل اور کنگ لاپتا ہیں گویا مفرور ہیں۔ اس واقعے کے بعد یہ علاقہ بین الاقوامی فوجی دستوں کے سپرد کر دیا گیا۔ تحقیقات کے دوران کچھ اور شواہد بھی ملے ہیں۔''

جمال سناٹے میں آ گیا۔ رسالہ میز پر پھینک کر اِدھر اُدھر ٹہلنے لگا۔ دوبارہ رسالہ کھولا۔ حویلی کو غور سے دیکھا تو اس کی ٹوٹ پھوٹ نظر آئی۔

''اور شواہد بھی ملے ہیں؟ میرے تو کئی شواہد ہو سکتے ہیں۔ شیو کا سامان، کپڑے، کتابوں پر اُنگلیوں کے نشان۔ میں تو وہاں بہت عرصہ چپے چپے پر گھومتا پھرتا رہا۔ کہاں نہیں گیا۔ کیا نہیں کیا۔ انگریز بڑی آفت چیز کا نام ہے۔ یہ ذرّے سے آفتاب نکال لیتا ہے۔ کھرا ناپتے ناپتے کہیں میرے دروازے تک نہ آ جائے۔ مگر میں نے کیا ہی کیا ہے۔ بس وہاں گیا تھا اور آ گیا۔ کیا میں بھی مفرور ہوں۔ مگر میں تو بابا بے دست اور مُندری والا سے بھی پہلے کا مفرور ہوں۔ گویا بہت ہی مفرور۔ یہ انگریز تو ایک ایک بات کا ریکارڈ رکھتے ہیں۔ اب کیا بنے گا۔ میں ازلی بدقسمت ہوں۔ دائمی بد بخت۔ نہ غربت راس آتی ہے، نہ امارت۔ نہ گم نامی راس آتی ہے، نہ شہرت۔ یہ بھی ممکن ہے کہ دھماکے سے میرے شواہد مٹ گئے ہوں۔ مگر نہیں۔ کہیں نہ کہیں میرا نشان ہو گا۔ عین ممکن ہے کہ دھماکے سے بابا اور مُندری والا اُڑ گئے ہوں۔ مگر تجزیہ نگار نے اگر اطمینان سے لکھا ہے کہ مفرور ہیں تو مفرور ہیں۔ ان لوگوں نے تمام چیتھڑوں کا ڈی این اے ٹسٹ کیا ہو گا ورنہ یہ نتیجہ کیوں اخذ کرتے—''

''پکڑے گئے۔'' سارہ نے اسٹڈی میں داخل ہوتے ہی چلّا کر کہا تو جمال کو لگا کہ اس کا پیشاب خطا ہونے کو ہے۔

''کیا مطلب؟''

''مطلب یہ کہ سارے گھر میں ڈھونڈ رہی تھی اور صاحب اسٹڈی میں چھپے ہوئے ہیں۔ ہوں۔ مطالعہ ہو رہا تھا'' یہ کہہ کر سارہ نے وہی بدیسی رسالہ اُٹھایا اور ہلاتے ہوئے بولی:

''تم چھپ نہیں سکتے۔''

جمال کی گھگی بندھ گئی۔ کیا گیان متعدی مرض ہے۔ چھونے سے لگتا ہے۔ نہیں ہرگز نہیں۔ گیانی لوگ تو بہت سوں کو چھوتے ہیں تو کیا سارے گیانی ہو جاتے

ہیں۔نہیں نہیں، میں اکثر دقیانوسی اور وہم پرست ہو جاتا ہوں۔ وہ یہ سوچتے ہوئے کرسی پر گر گیا۔

''آج میں نے شاپنگ کی۔ پہلے میں نے سوچا کہ تمہارے لیے ڈریس لوں۔ پھر سوچا کتاب۔ مگر پھر پتا کیا، شاندار شیونگ کٹ لی۔ آؤ تمہیں دکھاؤں۔''

جمال کا بازو پکڑ کر واش رُوم میں لے گئی۔ جہاں واش بیسن کے ساتھ نئی شیونگ کٹ سجی ہوئی تھی۔ شیونگ کریم دیکھ کر جمال کے رونگٹے کھڑے ہو گئے کیونکہ پہلے دن حویلی میں یہی شیونگ کریم اس نے چہرے پر ملی تھی۔ سارہ نے اس کی گردن میں بازو حمائل کیے اور کہا۔

''کیسی لگی؟— گرم کیوں ہو؟— طبیعت تو ٹھیک ہے؟؟''

سارہ نے ہتھیلی جمال کے ماتھے پر رکھی۔ اس کی ہتھیلی میں شینا کا لمس تھا۔

''اپنی تپ مجھے دے دو۔'' یہ کہہ کر سارہ نے ہونٹوں کا دائرہ بنایا۔ یوں لگا جیسے اس کا ایک ہی ہونٹ ہے اور بیچوں بیچ ایک باریک چھید ہے۔ مگر جب سارہ نے دیکھا کہ جمال کے ناک سے خون رواں ہے تو چھید بڑا اور بے ترتیب ہو گیا۔

□□□

تالیوں اور نعروں کی دہلاتی گونج میں جمال مائک کے پیچھے نمودار ہوا۔ روسٹرم بلٹ پروف شیشے کی دیوار سے محفوظ کیا گیا تھا۔ باوردی اور بے وردی محافظوں کا کثیر گروہ اسٹیج اور جلسہ گاہ کو جکڑے تھا جس کے ساتھ ذاتی اسلحہ بردار جتھا جُگل بندی کرتا تھا۔ جمال بچپن کی محرومیوں، خاندانی دورُخی اور معاشرتی بے چہرگی کی وجہ سے فطری طور پر شعلہ بیان تھا۔ اس جسم فروش عورت کی طرح جو اپنی بیٹی کو پرہیز گاری کی تلقین کرتے ہوئے برہم ہوتی ہے۔ جمال نے چھوٹتے ہی تیسرے کالے سے اپنی تقریر کی لے کاری کی:

"میرے ہم وطنو! آپ کو اس معاشرتی بدصورتی میں آنے والا جمال سلام کہتا ہے۔"

جلسے کو دوبارہ گونج کا دورہ پڑا۔ سروں کے سیاہ سمندر کے اُوپر پھریروں کے بادبان پھڑپھڑانے لگے۔ پیشہ ور نعرہ سازوں نے اپنے مخصوص مقامات پر نعروں کا چھڑکاؤ کیا۔ گونج دھیمی ہوئی تو جمال نے آغاز کیا۔ اس کی بلند آواز بیسویں اسپیکروں سے نکل کر دُور کی دیواروں سے ٹکراتی تو بازگشت سماں باندھتی تھی:

''ہمارا ملک حضرت سلیمان کے عصا کی طرح کھوکھلا ہو رہا ہے۔ چوب ریشوں میں دو قسم کی دیمک رینگتی اور پرورش کرتی ہے۔ ملکی اور غیر ملکی، دونوں قسموں میں ہم زیستی کا رِشتہ ہے۔ ہمارے قومی ادارے صحرائی مزار کے کیکر پر بندھے پارچوں کی طرح ہیں۔ پہلے جن کا رنگ اُڑا اور اب دھجیاں بکھر رہی ہیں۔ ہمارے ملک کی سرحدوں میں ریت ہے۔ بنیادوں کے پاؤں اُکھڑتے ہیں۔ ملکی سیاست دُور افتادہ اور غریب گاؤں کے امیر جاگیر دار اور وڈیرے کی بیٹھک ہے۔ جہاں کارندوں کے ذریعے غریبوں سے لوٹا گیا سرمایہ اور بنیوں سے بھیک لیا گیا قرضہ طوائفوں کے سر پر اُڑایا جاتا ہے۔ ہمارے جمہوری معمار غیر پیشہ ور اور بے ہنر ہیں۔ کئی عشروں سے تخریبی تعمیرات میں مصروف ہیں۔ ان کے ہاتھوں میں کجی ہے۔ عمارت کی بنیاد ٹیڑھی رکھتے ہیں۔ مسالا ناقص لگاتے ہیں۔ ذرا آندھی چلے تو کھڑکیاں اور دروازے چوکھٹ چھوڑتے ہیں۔ ہلکی بارش ہو تو بھی چھت ٹپکنے لگتی ہے جن معماروں کو واجبی ہنر آتا ہے وہ عمارت کو فالٹ لائن پر بنا کر زلزلے کا انتظار کرتے ہیں یا دریا کنارے دیوار اُٹھا کر سیلاب کا۔ سیاست دان اور فوجی میوزیکل چیئر کا کھیل کھیلتے ہیں۔ ہٹ دھرمی کا یہ عالم ہے کہ اس کھیل کے دوران عوام کو داد طلب نظروں سے دیکھتے ہیں۔ صدور اور وزرائے اعظم قرآن اور حدیث سے فال نکالتے ہیں۔ عوامی خطاب سے پہلے اُن آیات کو منتخب کرتے ہیں جو ان کے عہدوں کی طوالت پر خدائی مہر ثبت کریں۔ یہاں اتنا گھناؤنا مذہبی کھیل کھیلا جا رہا ہے کہ تاریخِ عالم منہ چھپانے کے لیے اندھیرا ڈھونڈتی ہے۔ عجب حادثہ ہے کہ یہاں بے شمار سیاسی پارٹیاں ہونے کے باوجود قحط الرجالی دندناتی ہے۔ یہاں تک کہ بعض اوقات بین الاقوامی مالیاتی اداروں سے وزرائے اعظم درآمد کرنا پڑتے ہیں۔ حالانکہ یہ اتنا بڑا ملک ہے کہ جس کے بڑے شہروں کی آبادی دُنیا کے کئی چھوٹے ممالک سے زیادہ ہے۔''

قریبی ہجوم میں اچانک اسے مُندری والا نظر آیا۔ جو سینے پر ہاتھ باندھے

اسے اطمینان سے دیکھ رہا تھا۔ جمال سناٹے میں آ گیا— ''یہ مُندری والا یہاں کیسے—؟ نہیں— وہ نہیں ہوسکتا— یہ میرا وہم ہے— یہ وہ نہیں ہے۔'' بے وقت تقریر رُکنے پر جلسہ کچھ حیران ہوا لیکن یہ حیرت بے محل نعروں کی گونج میں تحلیل ہوگئی۔ عقب سے کسی نے پانی کا ٹھنڈا گلاس دیتے ہوئے کہا:

''جلسہ اعلیٰ جا رہا ہے— جاری رکھ— چل شاباش۔''

کمر پر تھپکی نے مہمیز کا کام دیا اور جمال نے خوف کے مقام سے نظریں ہٹا کر تقریر کی ٹوٹی ہوئی ٹانگ پر پلستر چڑھایا:

''ہمارا ملک ساٹھ سال کا نوحہ ہے۔ یہ چھ دہائیوں کا گریہ ہے میرے دوستو! آزادی سے آج تک کوئی دن ایسا نہیں گزرا جو پُرامن ہو۔ کوئی رات ایسی نہیں گزری جو پرسکون ہو۔ وسوسہ رہا ہے یا دھڑکا۔ خدشہ رہا ہے یا خوف۔ قنوطیت کے زیرِ اثر کہا جاسکتا ہے کہ کہیں اس خطۂ ارض پر کسی رُوح نے کوئی فسوں تو نہیں پھونک دیا؟ کوئی بددُعا تو نہیں دے دی؟ لیکن ہمیشہ رجائیت ہاتھ بڑھا کر کہتی ہے۔ نہیں۔ ہرگز نہیں۔ بے شمار وسائل سے مالا مال اس ملک پر کوئی بددُعا اپنا آسیب نہیں پھونک سکتی۔ برائی کی رسّی دراز ہوتی ہے مگر کب تک؟ بے غیرتی کی اوس اپنا نام بارش نہیں رکھ سکتی۔ سورج ذرا چڑھتا ہے تو ایسی اوس کو اپنا نام بھی یاد آ جاتا ہے اور شرمناک شجرہ بھی۔''

عورتوں کے ہجوم میں شینا کھڑی تھی۔ جمال پر سناٹے اور ہجوم پر نعرہ بازی کا بخار چڑھا۔ جمال نے ہجوم سے نظریں ذرا اُٹھا کر بولنا شروع کیا:

''یہ ایک ناقابلِ تردید حقیقت ہے کہ ہمارے ملک میں تعمیری سیاست اور قیادت کا شدید بحران ہے۔ کوئی سیاسی پارٹی نہیں یہاں۔ اگر ہوتی تو ملک وقوم کے لیے کچھ کرتی۔ نام نہاد سیاسی پارٹیاں کسی حادثے کی پیداوار، کسی واقعے کا ردِّعمل، کسی ڈکٹیٹر کی ایجاد یا کسی قبر کی مجاوری اور گدہ نشینی ہے، جو نام نہاد پارٹیاں سرگرمِ عمل ہیں ان

کا ذاتی ایجنڈا ان کی ذاتی بے راہ روی کا آئینہ دار ہے۔ صوبائی، علاقائی، لسانی، مذہبی، فرقہ واری، دہشت گرد اور غیر ملکی ہتھ کنڈوں سے لیس، با اثر امیر اور بے ضمیر کٹھ پتلیاں اقتدار کے تھیٹر میں ناچتی ہیں۔ کرائے کے ناظرین کرسیوں پر قیدیوں کی طرح بیٹھے ہیں۔ باہر پولیس اور فوج کا پہرہ چلتا ہے۔ پس منظر میں بجنے والی مُردہ موسیقی جمہوریت کی لاش پر روتی رہتی ہے۔ فنِ اداکاری اور فنِ سیاست میں زمین آسمان کا فرق ہے اور یہ فرق برقرار رہنا ضروری ہے۔ تھیٹر اور پارلیمنٹ دو مختلف حقیقتیں ہیں۔ فلم انڈسٹری اور ٹیکسٹائل انڈسٹری دو الگ الگ صنعتیں ہیں۔ پاور پالیٹکس کا مطلب یہ تو نہیں کہ سٹاک ایکسچینج کی بجائے پیسہ سیاست کے میدان میں لگایا جائے اور یہ قدیم بادشاہت کا دور بھی نہیں جب شطرنجی فرش پر جیتے جاگتے لوگوں کے مہرے بادشاہ کی حفاظت کی خاطر قتل کیے جاتے تھے۔ یہ اکیسویں صدی ہے۔ شطرنج اب انٹرنیٹ پر کھیلی جاتی ہے۔ زمان و مکان کو نئے کیلنڈر کی آنکھ سے دیکھنا ہوگا۔ جب بھی ہمارے سیاست دان اپنی پارٹی کے بلند بانگ منشور اور اپنی ناقابلِ ذکر کارکردگی کا موازنہ کرنے ضمیر کی عدالت میں جاتے ہوں گے تو ان پر یقیناً رعشہ طاری ہوتا ہوگا۔''

جمال کے جسم پر رعشہ طاری ہوا۔ پانی کے ٹھنڈے گلاس نے جسم ہموار کیا۔

پیچھے سے آواز آئی۔۔۔ ''جاری رکھو۔۔۔ جاری رکھو۔''

''کروڑوں عوام کے اس ملک میں تین چار لاکھ لوگوں کا جلسہ سجا لینے سے پارٹی نہیں بن جاتی۔ ہاں! مذاق ضرور بن جاتا ہے۔ پیشہ ور کاریگروں کی مدد سے الیکشن جیت کر حکومت نہیں بن جاتی۔ ہاں! تبدیلی کی بنیاد ضرور بن جاتی ہے۔ یہ دیکھو، عوام کا جمِ غفیر۔ میں اپنی ماں کی قسم کھا کر کہتا ہوں کہ اس جلسے میں ایک شخص بھی کرائے کا نہیں۔ سب اپنے دل پر چل کر جلسہ گاہ میں آئے ہیں۔ مثبت تبدیلی ازلی حقیقت ہے۔ تبدیلی کائنات کی مسلسل توسیع کا نام ہے۔ تبدیلی سے انکار حقیقت سے منہ چھپانے کے مترادف

ہے۔ رسّی جتنی دراز ہونا تھی، ہو چکی۔ اب تبدیلی آئے گی۔ بہتر یہی ہے کہ پُرامن انداز میں آئے۔

جب ہم ملکی صورتِ حال کو بین الاقوامی تناظر میں دیکھتے ہیں تو کھلتا ہے کہ ہماری سیاسی غربت تو دراصل مفلوک الحالی ہے جس کا سفر پاتال کی طرف ہے۔ آج ہم اس امیر مگر فاترالعقل بھکاری کی طرح ہیں جو اپنی دولت سے یکسر بے خبر ساری دُنیا میں کشکول اُٹھائے بھیک مانگتا ہے۔ ستم ظریفی کی انتہا ہے کہ دُنیا کے ستم ایجاد اسی بھکاری کا کچھ پیسہ کشکول میں ڈال کر احسان کرتے ہیں۔ رُوحِ عصر بے چین ہے۔ بین الاقوامی دہشت گردی ایک طرف اور ہمارے ملک میں قیادت کا بحران دوسری طرف۔ چکی چل رہی ہے۔ دونوں پاٹوں میں گیہوں بھی پس رہا ہے اور گُھن بھی۔ اب تبدیلی آئے گی اور کوئی روک نہیں سکتا۔ کوئی نہیں روک سکتا۔"

انقلاب زندہ باد کے نعروں میں جمال اسٹیج سے اُترا۔ لوگوں کے کیچڑ میں ایک نالی بن گئی جس میں چلتا ہوا جمال اپنی پُرشکوہ گاڑی میں بیٹھا۔ گاڑی کے لیے چوڑی نالی بنی۔ گاڑی دھیرے دھیرے چلنے لگی۔ ٹھنڈ پھونکتی گاڑی میں جمال کا پسینہ سرد تھا۔ گردن کے نیچے قمیص پر گیلی سلوٹیں بنتی اور ٹوٹتی تھیں۔ لوگ اب گاڑی کے ساتھ ساتھ دونوں طرف بھاگ رہے تھے۔ دُور اُونچائی پر کھڑے ایک شخص نے بازو سے اِستادہ عضوِتناسل کا اشارہ کرکے جمال کی طرف خشمگیں نگاہوں سے دیکھا تو گردن کے نیچے قمیص کی سلوٹیں گہری ہوگئیں۔

الیکشن سر پر تھے۔ اگرچہ برسرِ اقتدار پارٹی نے جمال کو عزت، شہرت اور دولت کی بلندیوں پر پہنچایا مگر مخالف پارٹی نے اسے بہتر شرائط پر اپنے گروہ میں شامل کرلیا۔ مخالف پارٹی نے جب جمال کو خریدا تو یہ طے کیا کہ وہ پارٹی اس کی موجودہ مالی صورتِ حال کو کم از کم دوگنا کردے گی۔ جمال کے جلسے سیاسی منظرنامہ تبدیل کررہے

تھے مگر اس کو گھبراہٹ رہنے لگی تھی جیسے وہ کالی پہاڑی پر محسوس کیا کرتا تھا۔ اس کی میڈیکل ٹیم میں ایک نامور سائیکاٹرسٹ کا اضافہ کر دیا گیا۔

ملک الیکشن کے بخار میں تپ رہا تھا۔ ملکی اور غیر ملکی اسٹیک ہولڈرز کی سرگرمیاں عروج پر تھیں۔ پیسہ پانی کی طرح بہایا جا رہا تھا۔ کئی قسم کی کرنسیاں بہاؤ میں تھیں۔ جوڑتوڑ اور الزام تراشی کا بازار گرم تھا۔ گلیوں کوچوں میں مختلف رنگوں کے جھنڈے گھوم پھر رہے تھے۔ جلسہ گاہیں آباد تھیں۔ پریس کانفرنسیں جوش میں تھیں۔ لوگ سر جوڑ کر بیٹھے تھے۔ انتخاب گری کے نئے نئے طور طریقے وضع ہو رہے تھے جو انتخابی فہرستوں اور شناختی کارڈوں سے ہوتے بیلٹ باکس کی درزوں تک جاتے تھے۔ قومی اور صوبائی اسمبلیوں کی نشستوں کے بھاؤ متعین ہو رہے تھے۔ دیہاتوں اور قصبوں کے لوگ روائتی طور پر اپنے علاقوں کے بااثر سیاست دانوں کے سیاسی باج گزار تھے۔ بڑے شہروں کے لوگ حسبِ معمول بے دِلی سے سیاسی تماشے کا نظارہ کر رہے تھے۔ ہر سیاسی پارٹی ملک کو جنت نظیر بنانے اور سماجی کایا کلپ کرنے کے بلند بانگ دعووں سے گونج رہی تھی۔ خودکش بمبار مصروفِ عمل تھے۔ فائرنگ اور قتل و غارت معمول تھا اور بے اصولی سب سے بڑا اصول تھا۔

انتخابی ریلی کے باعث ٹریفک جام تھا۔ ہجوم میں پھنسی ایک گاڑی میں باپ اور کمسن بیٹا بے بسی سے ہنگامہ دیکھ رہے تھے۔

''بابا ہم کیوں رُکے ہوئے ہیں؟''

''بیٹا کیونکہ ہمارے آگے والے لوگ رُکے ہوئے ہیں۔''

''اور پیچھے والے بھی۔''

بیٹے نے پیچھے دیکھتے ہوئے کہا۔

''ہاں۔''

‘‘بابا یہ لوگ کیوں رُکے ہیں؟’’

‘‘بیٹا۔ یہ الیکشن کے لوگ ہیں۔’’

‘‘بابا، الیکشن کیا ہوتا ہے؟’’

‘‘بیٹا، الیکشن میں لوگ ووٹ ڈالتے ہیں۔ پھر صدر بنتا ہے اس سے۔’’

‘‘بابا، ووٹ کیا ہوتا ہے؟’’

‘‘کاغذ ہوتا ہے۔ جس پر تصویریں ہوتی ہیں۔ آپ اپنی پسند کی تصویر پر نشان لگاتے ہیں۔’’

‘‘بابا، کیسی تصویریں؟’’

‘‘جیسے گھوڑا، ہاتھی، شیر، چیتا۔’’

‘‘بابا یہ زُو کا کاغذ ہوتا ہے؟’’

‘‘نہیں بیٹا صرف جانوروں کی نہیں اور تصویریں بھی ہوتی ہیں جیسے قلم، لیمپ، تلوار، تیر۔’’

‘‘آئس کریم۔’’ بیٹے نے لقمہ دیا۔

‘‘یہ تمہارا انتخابی نشان ہے شرارتی۔’’ باپ نے بیٹے کے گال پر چٹکی بھری۔

‘‘بابا الیکشن کیا ہوتا ہے؟’’

وہی سوال دُہرانے پر باپ نے بے بسی سے بیٹے کی طرف دیکھتے ہوئے کہا۔

‘‘بیٹا۔ الیکشن میں پریزیڈنٹ اور پرائم منسٹر چنتے ہیں۔’’

‘‘بابا کیوں چنتے ہیں؟’’

‘‘کیونکہ وہ ملک چلاتے ہیں۔’’

‘‘بابا ووٹ کیا ہوتا ہے؟’’

‘‘بیٹا ووٹ کاغذ ہوتا ہے۔ پیپر۔ اس سے پریزیڈنٹ اور پرائم منسٹر چنتے ہیں۔’’

''مگر وہ تو الیکشن سے چنتے ہیں بابا۔''

''ہاں بیٹا۔'' باپ نے ہجوم پر نظر ڈالتے ہوئے کہا۔

''بابا الیکشن کیا ہوتا ہے؟''

''اچھا تم آئس کریم کھاؤ گے؟''

''جی۔'' بیٹے کی آنکھوں میں چمک آئی۔

''اچھا تو الیکشن کیا ہوتا ہے بیٹا؟''

''تصویروں والا کاغذ۔'' بیٹے نے سوچ کر بتایا۔

□□□

عظیم الشان بنگلے کے عالی شان بیڈ روم میں روشنیاں ہلکی تھیں۔ جمال بیڈ پر گرا۔ وہ کئی دنوں سے مناسب نیند کا متلاشی تھا۔ اچانک اس کے ذہن کی سکرین پر ماں کا چہرہ اُبھرا جس کے گال پر گالی چپکی تھی۔ اسے یاد آیا کہ ایک جلسے میں اس نے ماں کی قسم کھا کر کہا تھا کہ جلسے میں کوئی کرائے کا شخص نہیں، سب اپنے دل پر چل کر جلسہ گاہ میں آئے ہیں۔

''میں جھوٹ کیوں بولتا ہوں؟ جانتے بوجھتے ہوئے جھوٹ بولتا ہوں۔ دانستہ منافقت کرتا ہوں۔ کیا جھوٹ اور منافقت میرے خون میں شامل ہے؟ کالی پہاڑی کے لوگ کیوں جھوٹ نہیں بولتے تھے؟ رنگ رنگ کے لوگ تھے مگر سب کا رویہ ایک جیسا تھا۔ صاف ستھرا، دُھلا دُھلایا، اُجلا اور چمکیلا۔ میں وہاں کیوں ان لرن نہ کر سکا۔ کیوں اپنا میل نہ دھو سکا؟ جب میں جانتا ہوں کہ جھوٹ بول رہا ہوں تو کیوں بولتا ہوں؟ زندگی آسان کرنے کے لیے؟ دولت، شہرت اور عزت کے لیے؟ اگر میں جلسے میں بلند بانگ دعوے نہ کرتا تو کیا ہو جاتا؟ جلسہ تو ہر صورت میں کامیاب ہونا ہی تھا کیونکہ پیسہ بہت لگا تھا۔ کیا جھوٹ اور منافقت ہمارے سماج اور معاشرت کی گھٹی میں

ہے؟ کیا میں اس سماج کا حصہ ہونے کی وجہ سے جھوٹ بولتا ہوں؟ کیا جھوٹ میرے لاشعور میں بیٹھا ہوا ہے؟ بالفرض میں جھوٹ نہ بولوں تو کیا ہوگا؟ کچھ بھی نہیں — کچھ بھی نہیں ہوگا۔ کیا بچپن سے جھوٹ اور منافقت غیر محسوس طریقے سے شخصیت کا حصہ بنتی ہے؟ تو قصور میری تربیت کا ہوا۔ میرے ماحول کا ہوا۔ میری آب و ہوا کا ہوا۔ کیا لوگوں کو احساس نہیں ہوتا کہ وہ بچوں کے سامنے جھوٹ بول کر جھوٹ کو دوام بخش رہے ہیں اور جھوٹ ایک نسل سے دوسری میں منتقل ہو رہا ہے؟ اور اس پر طرہ یہ کہ ہم جھوٹ بولنے کے خلاف تقریریں بھی کرتے ہیں۔ سونے سے پہلے اسے اپنے بچپن کے واقعات یاد آئے۔ گزرے ہوئے واقعات فلم کی طرح چلنا شروع ہوئے تو اسے احساس ہوا کہ جھوٹ اور منافقت غیر محسوس انداز میں بچے کی تربیت کا حصہ بنتی ہے اور اس کی شخصیت کے خدوخال بناتی ہے۔

''او پُتر سراج دِینا۔ تیرے بیٹے کی نکسیر کیوں پھوٹتی ہے؟''

جمال کے دادا کی آواز پر اس کے والد سراج الدین چوہدری دوڑتے ہوئے آئے۔ جمال کو گود میں لے کر ہینڈ پمپ کے نیچے بٹھایا۔ اور زور زور سے نلکا چلانے لگے۔ پانی کی دھار کچھ دیر سر پر گرنے سے خون تھم گیا۔

''شفیقے۔ او شفیقیا آ آ آ آ'' جمال کے والد نے ملازم کو مخصوص دیہاتی لہجے میں پکارا تو شفیق نلکے پر پہنچا۔

''اسے اس کی ماں کے پاس لے جا اور کہہ کہ کپڑے بدل دے۔''

شفیق نے گیلے جمال کو اُٹھایا۔ وسیع کچا صحن پار کر کے برآمدے میں پہنچا تو دادا نے روکا۔ جمال کی ٹھوڑی کو جھٹکا دے کر چہرہ اُوپر اُٹھایا اور ایک سفوف اس کے دونوں نتھنوں میں گھسیڑ دیا۔ جمال کو سفوف تو بُرا لگا ہی، دادا کی اُنگلی اور انگوٹھا زیادہ بُرے لگے۔ وہ رونے لگا تو دادا نے ڈانٹا۔

''چپ کراوئے۔ کیا ٹاں ٹاں لگائی ہے۔''

جمال نے ہونٹ بھینچ کر رونا دبایا تو اس کا سینہ تھرتھرانے لگا۔ دادا نے بڑی بڑی سرخ آنکھیں نکال کر اس کی طرف دیکھا اور چنگھاڑے۔

''چپ۔''

جمال نے سینہ ساکت کر دیا۔ دادا نے شفیق کو جانے کا اِشارہ کیا تو وہ لمبے لمبے ڈگ بھرتا چوہدرانی کی طرف چل دیا۔

جمال کے دادا کمال الدین چوہدری علاقے کے مانے ہوئے حکیم تھے۔ یہ الگ بات کہ حکمت چوہدریوں کا شوق تھا نہ پیشہ۔ مگر شہر اور گاؤں میں ان کا مطب دیکھ کر احساس ہوتا گویا نسلوں سے یہ خاندانی پیشہ ہے۔ ان کا لباس بھی باقی خاندان سے مختلف تھا۔ خاص طور پر شہر میں قیام کے دوران وہ سیاہ شیروانی اور ترکی ٹوپی پہنتے۔ البتہ گاؤں میں بس دھوتی اور کُرتا جیسا کہ اس وقت پہنے ہوئے تھے۔ شہر میں نہایت وضع دار دکھائی دیتے اور نرم لہجہ میں گفتگو کرتے۔ گاؤں میں آتے تو ان کی جون بدل جاتی اور اصل رنگ غالب آجاتا۔ جمال چھ سال کا تھا مگر اسے دادا کی دورُخی کا اندازہ تھا۔

جمال کی ماں نے کپڑے تبدیل کیے تو وہ دوڑتا ہوا برآمدے میں آیا۔ باہر کھیتوں میں چلتی ہوئی ہوا کے جھونکے گاؤں کی باس کو لپیٹے نیم کے درخت سے چھنتے ہوئے برآمدے میں سرسرائے تو موسمِ سرما کی آمد کا احساس ہوا۔ دادا کمر اور ٹانگوں کے گرد چادر کا رسا بنا کر چارپائی پر جھول رہے تھے۔ دوسری دو چارپائیوں پر جمال کے والد اور تین چچا بڑے انہماک سے دادا کی بات سن رہے تھے۔

''— تو یہ نسخے سینہ بہ سینہ چلتے ہیں بھئی، سینہ بہ سینہ۔''

جمال کی طرف اشارہ کر کے بولے۔

''اسے جو سفوف دیا تھا وہ اشوک کی چھال پیس کر بنایا گیا ہے۔ اشوک کا درخت

برصغیر میں کئی مقام پر پایا جاتا ہے۔ یہ برساتی جنگلوں، دکن کے سطح مرتفع اور مغربی ساحلی علاقوں میں خوب اُگتا تھا تقسیم سے پہلے۔ حساس ہوتا ہے اس لیے نایاب ہوتا جارہا ہے۔ وسطی اور شمالی ہمالیہ کے دامن میں اور شمالی علاقوں کے میدانوں میں بھی پھلتا پھولتا ہے۔ کیا خوبصورت پھول ہوتا ہے اس کا۔ زرد، نارنجی، گچھے دار پھول جس میں شنگرفی بال اُٹھے ہوتے ہیں۔"

"لیکن ابا جی۔ ہم نے تو اشوک بادشاہ کا نام ہی سنا تھا۔" چچا حفیظ نے پوچھا۔

"یہ درخت بھی بادشاہ ہے۔ اشوک کا مطلب ہے درد سے آزاد۔ یہ درخت کئی عارضوں کا علاج ہے۔ اس کی چھال رُوپ نکھارتی ہے، اُداسی دُور کرتی ہے، پیاس بجھاتی ہے اور جلن مٹاتی ہے۔ خون کے بہاؤ کو روکتی ہے۔ اگرچہ لوگ اسے نکسیر کے لیے زیادہ استعمال نہیں کرتے مگر یہ ناک کا خون بھی روکتی ہے۔ عورتوں کی مخصوص بیماریوں کے لیے اکسیر ہے۔"

جمال کو یاد آیا۔ گزشتہ ہفتے دادی امّاں اس کی ماں کے ساتھ چولہے کے قریب بیٹھی سرگوشی میں کہہ رہی تھی۔

"بیٹا! میں نے سراج دین کے ابے سے بات کی تھی۔ اس نے بتایا کہ تجھے لیکوریا ہے۔ یہ پکڑ اشوک کی چھال۔ اس کا وزن دو تولے ہے۔ آدھ سیر دودھ اور آدھ سیر پانی میں اُبال۔ جب دودھ باقی رہ جائے تو چھان کے پی لینا۔ رب خیر کرے گا۔ یہ حیض کے بہاؤ کو بھی صحیح مقام پر لے آتا ہے۔ یہ نسخہ۔"

"اللہ تعالیٰ ابا جی کی زندگی کرے۔ ہماری صحت تو ان کے دم سے قائم ہے ماں جی۔ سارے گاؤں میں ماشاءاللہ ہمارے گھر والوں کے چہرے چم چم چمکتے ہیں۔ اللہ ابا جی کا سایہ سلامت رکھے۔"

دادی پیڑھی سے مسکراتی ہوئی اُٹھیں اور ماں نے کتیلی میں دودھ ڈالا جب

دادی دُور چلی گئیں تو ماں بڑبڑائی۔

''پتہ نہیں یہ بابا کب مرے گا۔ حکیم بنا پھرتا ہے۔ نہ جانے کیا کیا کھلاتا رہتا ہے۔ لیکوریا یوں بتا رہا ہے جیسے کوکھ میں اُتر کر دیکھا ہو۔''

یہ کہہ کر ماں نے چھال دودھ میں یوں پھینکی گویا دوا نہیں کوئی کچرا ہو۔

قریبی چھوٹی پیڑھی پر بیٹھے جمال نے پوچھا۔

''ماں۔ آپ دادا جی کی بات کر رہی تھیں؟''

ماں نے جمال کو خشمگیں نظروں سے دیکھا تو وہ سہم گیا۔

جمال چھ سال کی عمر میں سیانا ہو گیا تھا۔ بہت سی باتیں جو آٹھ دس سال کے بچوں کے سمجھنے کی تھیں۔ اسے سمجھ میں آتی تھیں۔ اس نے بارہا دیکھا کہ لوگ جو کہتے ہیں وہ کرتے نہیں۔ سامنے کچھ اور پیٹھ پیچھے کچھ۔

دادا جی حسبِ معمول طویل بھاشن دے رہے تھے۔

''تقسیم کے بعد میں زیادہ تر شمالی پہاڑی علاقوں سے نایاب جڑی بوٹیاں لایا کرتا تھا۔ ساتھ اللہ بخشے شگوفہ ہوتا تھا میرا ملازم۔ بہت برسوں کی بات ہے جہاں تک مجھے یاد ہے جیٹھ کا مہینہ تھا اور موسم شاندار تھا۔ ہم پہاڑوں پر گھومتے گھومتے تھک گئے تو شگوفے نے نیچے دریا کی طرف اِشارہ کیا۔ سوچا چلو کچھ سفر کشتی پر کرتے ہیں۔ شگوفے نے بھاری تھیلا کشتی میں رکھا تو شکر ادا کیا۔ میں نے کشتی بان سے کہا کہ بہاؤ کے رُخ چلتا رہے، جہاں اُترنا ہوگا بتا دیں گے۔ راستے میں میری نظر ایک خوبصورت حویلی پر پڑی جہاں بڑی ریل پیل تھی۔ ہم وہاں اُتر گئے۔ ملّاح کو بارہ آنے دیئے تو وہ بے اختیار اپنی زبان میں بولنے لگا جو شاید دُعائیں تھیں۔ چڑھائی کرتے ہوئے ہم حویلی کے سبزہ زار میں پہنچے۔ پوچھنے پر پتا چلا کہ یہ تمام علاقہ ایک نواب صاحب کا ہے جو دُور ایک رنگین مسند پر ریشمی تکیوں کے سہارے بیٹھے تھے۔ ادھر چل دیے۔ نواب صاحب سرخ و

سفید اور وجیہہ تھے۔ دیدہ زیب فرغل زیب تن کیے مصاحبین میں گھرے ہوئے تھے۔ ہم سے مِل کر خوش ہوئے اور آمد کا مقصد پوچھا تو میں نے کہا کہ میں یہاں اشوک ڈھونڈتا ہوں۔ تو مسکرا کر بولے کہ بے کار ڈھونڈتے ہیں آپ، وہ تو صدیاں ہوئیں گزر گئے۔ تو میں نے ہنس کر کہا کہ اشوکِ اعظم نہیں اشوک کے درخت کی بات کر رہا ہوں۔ میں بہت حیران ہوا جب انھوں نے اشوک متعلق بہت سی باتیں کیں۔ کہنے لگے، حکیم صاحب! اشوک تو بڑا گیانی پیڑ ہے۔ یہ شاہی محلوں کے شاداب اور معبدوں کے اُداس سبزہ زاروں کی شان ہے۔ مہاتما بدھ اشوک کے سائے میں پیدا ہوئے۔ مہاویر دُنیا تیاگ کر اسی کی چھاؤں میں بیٹھے تھے۔ شاعروں نے اشوک کو خراجِ تحسین پیش کیا ہے۔ مثلاً کالی داس نے، رامائن میں اس کا ذِکر ہے۔ چیت کے مہینے میں اشوک اشٹمی ہوتی ہے جو وِشنو کا تہوار ہے۔ لوگ اشوک کے پھول دُھلا کر پانی پیتے ہیں۔ بہت مفرّح ہوتا ہے اور سب سے بڑھ کر یہ کہ—''

طویل واقعے سے بیزار ہو کر چچا نذیر نے کہا:

''ابا جی میں ذرا نماز پڑھ آؤں مسجد میں۔''

''یہ نماز کا کون سا وقت ہے؟'' دادا نے حقے کا لمبا کش لیتے ہوئے کہا۔

''دِیگر کا وقت نکل رہا ہے۔ میں بس آیا۔''

جمال بھی چچا کے ساتھ ہو لیا۔ مگر چچا دھان کے کھیتوں کے بیچوں بیچ چلتے ہوئے اپنے ڈیرے میں پہنچے اور چارپائی پر لیٹ کر پکارے:

''او پھجے! ٹانگیں دبا!''

سوگواروں کا گروہ برابر کے گاؤں میں جانے کی تیاری کر رہا تھا۔ جہاں جمال کے رشتے کی خالہ انتقال کر گئی تھی۔ جمال کے گاؤں بُرج سے خالہ مرحومہ کے گاؤں

فتیانہ کا فاصلہ قریب چار میل تھا۔ کچھ بزرگ رات ہی سے روانہ ہو چکے تھے۔ آج صبح سے خواتین تیاری میں تھیں۔ چند بچے جو قافلے کے لیے چنے گئے، دس سالہ جمال ان میں شامل تھا۔ جمال سوچ ہی رہا تھا کہ آج ناشتہ کچھ زیادہ مرغن اور وسیع ہے کہ باجی رفعت چنگیر میں دو پراٹھے اور ساگ کی کٹوری میں مکھن کا پیڑا ڈالتے ہوئے بولیں:

''پیٹ بھر کے کھالو سارے۔ ہاں خیر سے جا رہے ہیں وہاں تو شادیوں پر ہاتھ کھینچ کے رکھا جاتا ہے یہ تو پھر مرگ ہے۔''

سات عورتیں اور چند بچے گھر کے صدر دروازے کے باہر کھڑے دو تانگوں پر سوار ہوئے۔ جوان عورتوں نے کالے برقعے اور بزرگوں نے سفید چادریں اوڑھ رکھی تھیں۔ تانگے نے چلنے سے پہلے ہچکولا بھرا تو جمال نے اپنی ماں کا بُرقعہ تھام لیا۔ رات کی بارش سے لت پت کچی سڑک پر گھوڑے کی ٹاپیں کند دھمک دیتی تھیں۔ گھنگھروؤں کی جھنکار کھیتوں کے بیچوں بیچ دوڑ رہی تھی۔ بھادوں کے موسم میں رُکی ہوئی ہوا کا حبس عورتوں کو بُرقعے ڈھیلے کرنے پر اُکسا رہی تھی۔ چاچی سکینہ نے چادر کے گھونگھٹ کا کنارہ اپنے بچے کھچے دانتوں میں دبا رکھا تھا۔ گھونگھٹ کھول کر رازداری سے جمال کی ماں سے کہنے لگیں:

''ہائے ہائے جمیلہ تھی تو پکی ہڈی، اتنی جلدی جلدی مرنے والی کہاں تھی۔ مجھے تو لگتا تھا کہ ساروں کو مار کر مرے گی، پر گزر گئی رات۔''

جمال کی ماں نے بُرقعے کا ایک نقاب اُٹھا کر کہا:

''آپا! خدا کا خوف کر۔ یوں نہ کہہ۔ سب کو جانا ہے۔''

چاچی نے جمال کی ماں کے بُرقعے سے جھانکتی قمیص کو پوروں میں مسل کر کہا:

''یہ وَیل کا جوڑا کب بنوایا تو نے؟''

تانگے کوروٹانہ میں داخل ہوئے اور ایک جوہڑ کے پاس رُک گئے۔ پسینے میں

نہائی عورتوں کے جسموں کی بساوٹ حبس کی شدت بتا رہی تھی۔ جمال نے کئی بار غور کیا تھا کہ عورتوں کے جسم کی بُو مَردوں سے مختلف ہوتی ہے بالخصوص گرمیوں میں۔

سوگواروں کا قافلہ ایک پتلی گلی میں داخل ہوا۔ راستہ باتوں اور قہقہوں میں کٹ رہا تھا کہ اچانک چاچی ثریا نے سب کو روک کر تعزیت کا لائحۂ عمل کرنے کے لیے مشورہ کیا:

''تو کرنا کیا ہے جا کے؟ رونا ہے یا ہلکی پھلکی سسکیوں سے کام چلے گا؟''

کچھ بحث کے بعد طے پایا کہ نہایت بلند بانگ آہ وزاری ہوگی کیونکہ خالہ جمیلہ کے خاندان کی اکثر خواتین اس فن میں یدِطولیٰ رکھتی ہیں۔ سوگواروں کا گروہ گھر کی ڈیوڑھی میں داخل ہوا تو نوحہ خوانوں کے قافلے کا رُوپ دھار گیا۔ یکایک چیخوں سے فضا گونج اُٹھی۔ ڈیوڑھی کے شہتیر پر بیٹھی چڑیاں پُھر سے اُڑ گئیں۔ یوں محسوس ہوتا تھا جیسے بہت سی شہنائیاں رو پڑی ہیں۔ بینڈ کے سازوں میں چاچی سکینہ کی بھاری آواز شامِل باجے کا کردار ادا کر رہی تھی۔ نوحہ خوانوں کا جذبہ دیکھ کر صحن سے کئی خواتین تیزی سے آگے بڑھیں اور برآمدے میں گلے مِل کر ان کا تعزیتی استقبال کیا۔ قافلے نے برآمدے کے درمیان دھری میّت تک پہنچنے میں اچھا خاصا وقت لیا۔ جمال نے دیکھا کہ خالہ کے بدن پر سرسوں پھولی ہوئی ہے اور زردی ناخنوں میں زیادہ گہری ہے۔ موت پیلی ہوتی ہے، جمال نے سوچا۔ چاچی ثریا نے اپنا سر چارپائی کے پائے سے ٹکرایا تو میّت کا پھولا ہوا پیٹ تھرتھرایا۔ چاچی نے نہایت خطرناک آواز میں بین کا آغاز کیا۔ دہلا دینے والے سُروں نے جمال کے طوطے اُڑا دیئے اور وہ اپنی ماں کے ساتھ چمٹ گیا۔ چاچی ثمینہ غش کھا کر بے ہوش ہوگئیں تو انھیں بڑے جتنوں سے پانی پلا کر بحال کیا۔ پھوپھی محمودہ کو تشنج کے باعث دندل پڑ گئی۔ ان کے منہ میں چمچہ ڈال کر بھنچے ہوئے دانتوں کی گرفت ڈھیلی کی گئی۔ گھومتے گھماتے جمال بڑے کمرے سے ہوتا ہوا ایک نیم

تاریک کمرے میں داخل ہوا تو دیکھا کہ باجی رفعت کو ایک شخص وارفتگی سے چومتے ہوئے درمیانی وقفوں میں کہہ رہا ہے۔

''رِفتی! شکر ہے تم کسی بہانے آئی تو

رِفتی! اب میرے مرنے پہ آؤ گی کیا؟''

ایک جھٹکے سے باجی الگ ہوتے ہوئے بولیں:

''ہائے میں مرگئی طارق۔ چھوڑو مجھے۔ جمال دیکھ رہا ہے۔''

جمال چلتا ہوا مردانے میں آیا۔ لوگ چارپائیوں پر کسل مندی اوڑھے حقے کا دور چلا رہے تھے۔ اکثر سفید کرتا، دھوتی اور پیچ دھار پگڑی پہنے تھے۔ ایک بزرگ نے جمال کے سر پر ہاتھ پھیرتے ہوئے دُعائیہ کلمات کہے۔

''جیتا رہ۔ اب تو جوان ہوگیا ہے تیرا پتر سراج دینا۔''

جمال اپنے باپ کے پاس بیٹھ گیا۔ باہر سے بچوں کے کھیلنے کی آواز پر جمال لپک کر اُٹھا۔ مگر دروازے پر اپنے دُور پار کے نانا کو دیکھ کر ٹھٹھک گیا جو خالہ جمیلہ کے والد تھے۔ وہ اپنے بیٹے ماموں جمیل سے گلے مِل کر رو رہے تھے جو ابھی دور کے شہر سے پہنچے تھے۔

''اب آئے ہو جمیل؟ جمیلہ تو رات سے بُلا رہی تھی۔ تمہارا ہی انتظار کر رہی تھی۔ وہ تو کب کی تیار ہے۔ بچپن میں بھی تمہارے ہی کندھے پر چڑھتی تھی—— وہ ہٹی نئیں آئی؟ آجاتی بھلا۔ پُتر، شریکا برادری——!!!''

نیند دھیرے دھیرے جمال کے اعصاب پر اُتر رہی تھی۔ اس نے بچپن کے واقعات کو جھٹک کر کروٹ لی۔ کل اسے مختلف شہروں میں چار جگہ جلسوں سے خطاب کرنا تھا۔

□□□

164

جلسہ گاہ گویا رزم گاہ تھی۔ پنڈال شہر کے قلب میں بلند کیا گیا تھا۔ میمنہ میسرہ میں کلیجی رنگ کی بلند و بالا تاریخی عمارتیں تھیں جن میں جابجا تاریک مغلئی جھروکے نکلے ہوئے تھے۔ کھڑکیوں اور روشندانوں میں نیلی، سبز، سرخ اور زرد شیشہ کاری تھی۔ چھتوں کے کنگرے جگہ جگہ سے ٹوٹے ہوئے تھے۔ چھتوں اور جھروکوں پر لوگ غیر رسمی ایڈوانس بکنگ کے بعد جلسے کا تماشا کر رہے تھے۔ وسیع گراؤنڈ لوگوں سے کھچا کھچ بھرا ہوا تھا۔ مختلف مقامات سے لائے گئے رنگین جھنڈے جلسے میں شمولیت کا اعلان کرتے تھے۔ گراؤنڈ سے باہر اردگرد کی سڑکیں دھاروں کی طرح بھری ہوئی تھیں گویا گراؤنڈ کے سمندر کا ڈیلٹا ہوں۔ میلوں دُور کئی مقامات پر گاڑیاں پارک تھیں۔ ہر قسم کی گاڑی موجود تھی۔ کاریں، ویگنیں، ٹرک، منی ٹرک، ٹریکٹر، ٹرالیاں اور بسیں جن پر لاد کر لوگوں کو جلسہ گاہ لایا گیا تھا۔ ایک پرانی بس کی پچھلی سیٹ پر دُور افتادہ گاؤں رام دیوالی سے لایا گیا۔ اسّی سالہ گاما چتکبرا کھیس اوڑھے لیٹا تھا اور بخار میں تپ رہا تھا۔ اس کی جیب میں جلسے کی مزدوری کے قلیل روپے ایک سو دو درجے بخار سے نم تھے۔ نوٹوں کی تصویر ہانپ رہی تھی۔ گاما جلسہ بند ہونے اور روٹی کُھلنے کا انتظار کر رہا تھا۔ اس کے منہ میں دانتوں کی کم

مائیکی لعابِ دہن کو راستہ دیتی تھی۔ رالیں کنجِ دہن سے بہہ کر گردن سے لپٹے کھیس میں جذب ہوتی تھیں۔ خالی بس میں اچانک گامے کا دوست شاکر غوری داخل ہوا جو چک 'رنی کے' سے آیا تھا۔

''شاکر جلسہ ختم ہو گیا ہے؟''

''چاچا ابھی تو شروع ہونا ہے۔''

''بیٹا بھوک لگی ہے اور پیاس بھی۔''

جلسہ گاہ گویا رزم گاہ تھی۔ میدان کے گرد بندھے اسپیکروں سے الزام تراشی کے گھوڑے نکل کر سموں سے چنگاریاں چھوڑ رہے تھے۔ گھوڑوں کے جبڑے لگاموں کے کھنچاؤ سے چرے ہوئے تھے۔ ہر گھوڑے پر لوہے میں ڈوبا ہوا فرعون الاوتاد بیٹھا تھا جس کے خود پر ڈھلتی شام کا سورج ٹوٹ کر چمکتا تو کرنیں زرہ بکتر سے ہوتی ہوئی رکابوں تک جاتی تھیں۔ جمال کی آواز جوشِ خطابت سے پھٹ رہی تھی جس کی دھجیاں سپیکروں کی آواز پر تیتی ہوئی ہر گوشِ سیاست نیوش میں اُتر رہی تھیں:

''ساتھیو! عوام کا آتش فشاں دہکتے لاوے سے بھر چکا ہے اور اس کا دہانہ کانپ رہا ہے۔ جس دن یہ آتش فشاں پھٹا—''

اچانک جلسے کے وسط میں ایک انسانی بم پھٹا۔ دھوئیں اور شعاعوں کا بادل اُبھرا۔ گوشت نے شکلیں بدلیں۔ جلسے کا قلب قصاب کی دُکان تھی۔ قیمہ، بڑی اور چھوٹی بوٹیاں، ہڈیوں کے ٹکڑے، خون کے دھبے، کٹی ہوئی کھوپڑیوں سے جھانکتی بے نیاز آنکھیں، انتڑیاں، جگر پر پتے کی ہریالی، بکھری ہوئی اُنگلیاں اور سمٹے ہوئے دل تھے جن کے اُوپر لوگ صورِ اسرافیل کی بانگ سن کر سراسیمگی کے عالم میں بھاگ رہے تھے۔ اس اندھادھند بھاگ دوڑ سے جو لوگ روندے جا رہے تھے ان میں اس خودکش کا سر بھی تھا جسے کچھ ہی دیر میں تحقیقات کے لیے تلاش کیا جانا تھا۔ دھماکے سے اُڑتا ہوا

ایک چھرّا جمال کی بائیں آنکھ کے نیچے لٹکے گال میں پیوست ہوا۔ تو خون کی پتلی دھار بہتی ہوئی ہونٹوں تک پہنچی۔ جمال نے لمبی زبان سے اپنا خون وصول کیا۔ خون کا ذائقہ نمکین تھا۔

لوگ دھڑ دھڑ کرتے بس میں داخل ہوئے۔ گاما دھماکے کی آواز سے ٹیک لگائے بیٹھا تھا۔ ساتھ بیٹھے ہوئے سہمے شخص سے بولا:

"بیٹا بھوک لگی ہے۔"

"بابا، یہاں قیامت بپا ہے اور تجھے بھوک لگی ہے۔"

گامے نے بس کے کونے سے ٹیک لگائی اور خود کلامی کی:

"بیٹا پیاس لگی ہے۔"

◻◻◻

جمال کی پارٹی جیت گئی۔ مگر حسبِ معمول اکثریتی پارٹی بننے اور حکومت بنانے کے لیے بیس سیٹیں کم تھیں۔ اتحادی پارٹیوں سے بات چیت جاری تھی۔ بکاؤ پارٹیوں نے سیاست کی منڈی میں اپنے دام بڑھا دیئے۔ جوڑتوڑ اپنے عروج پر تھا۔ سارادِن ملاقاتوں کا سلسلہ جاری رہتا اور اس کے بعد شبینہ محفلیں سجتیں۔ مذہبی پارٹیوں کے ساتھ باجماعت نماز ادا کی جاتی تو آزادخیال گروہوں کے ہمراہ رامش و رنگ کا اہتمام ہوتا۔ متوقع اتحادیوں کی کمزوریاں ڈھونڈنے کے لیے ایک علیحدہ کمیٹی موجود تھی۔ کمزوریوں کے سراغ کے دوران عموماً نقوشِ پا تین راستوں کی طرف جاتے تھے یعنی رئیل اسٹیٹ، بنک اکاؤنٹ اور قتالہ۔ کئی کامیاب مرد اسمبلی ممبروں کے پیچھے کسی خاتون اور کامیاب خاتون کے پیچھے کسی مرد کا ہاتھ نظر آتا تو چہروں پر معنی خیز مسکراہٹ دوڑ جاتی۔ کئی شرفا بھی اسمبلی ممبر منتخب ہو گئے مگر ان کی حالت دیدنی تھی۔ وہ اس کھیل میں پنجابی کی ایک کہاوت کے مصداق گمشدہ گائے کی طرح اِدھر اُدھر دیکھتے رہتے تھے۔

جب مخلوط حکومت بنی تو جمال ان چند بااثر شخصیات میں شامل تھا جن کی اُنگلیوں کے گرد ہر وقت کٹھ پتلیوں کی ڈوریاں لپٹی رہتی ہیں۔ مگر اس کی گھبراہٹ بڑھتی

جا رہی تھی۔ ماہرِ نفسیات نے اسے چند دن مکمل آرام کا مشورہ دیا تو وہ قریبی پہاڑی مقام پر چلا گیا۔ گیسٹ ہاؤس کے گرد کڑا پہرہ تھا۔ پرہیز میں فون اور ٹی وی سے قطع تعلقی بھی شامل تھی۔ سہ پہر کو سرسبز لان میں آرام کرسی پر بیٹھا جھول رہا تھا۔ گھبراہٹ برقرار تھی۔

''یہ مجھے چین کیوں نہیں پڑتا۔'' اس نے سوچا۔

''کیا الیکشن ایک کھیل ہے؟''

مگر کھیل تو الیکشن کے لیے بہت غریب استعارہ ہے۔ اِس نے سوچا۔

''جوا ہے؟''

نہیں۔

''عیاری ہے؟''

اُوں ہوں۔

''ظلم ہے۔''

شاید۔

''گناہ ہے؟''

اسے وہ الیکشن ریلی یاد آئی جہاں رُکی ہوئی ٹریفک میں اس کے ساتھ ایک گاڑی کھڑی تھی۔ بے بس باپ بیٹا باتیں کر رہے تھے۔ نہایت خوبصورت بچے کو بھرپور نظر سے دیکھنے کے لیے اس نے شیشہ اُتارا تو بچے نے کہا کہ ووٹ تصویروں والا کاغذ ہوتا ہے۔

□□□

ہیلی کاپٹر کالی پہاڑی کی طرف پرواز کررہا تھا۔

کئی دِنوں سے انسدادِ دہشت گردی کے موضوع پر بین الاقوامی اعلیٰ سطحی اجلاس دارالحکومت میں جاری رہا تھا۔ مختلف ممالک کی امن کمیٹیوں کے ممبر اس اجلاس میں شریک تھے۔ دہشت گردی کو معاشرے کا ناسور، حکومتوں کے عدم استحکام کا سبب اور گھناؤنی سازش قرار دیا گیا۔ دُنیا کے مختلف ممالک میں دہشت گرد تنظیموں کی کارروائیاں اوران کا باہمی تال میل موضوعِ گفتگو رہا۔ اکثر مقامات پر ان تنظیموں کی بیخ کنی پر طمانیت کا اظہار ہوا۔ بین الاقوامی وفد کا سربراہ البرٹ مکین نہایت سنجیدگی سے تمام صورتِ حال کا جائزہ لے رہا تھا۔ جمال اس کے لیے مرکزِ نگاہ تھا۔ چائے کے ایک وقفے کے دوران اس نے جمال سے کہا کہ ان دونوں کو علیحدگی میں بھی ایک ملاقات کرنی چاہیے۔ چنانچہ یہ ملاقات جمال کے بنگلے میں طے پائی۔

سجے سجائے کمرے کے ایک جانب بار تھی۔

''مسٹر مکین۔ آپ کیا پینا پسند کریں گے؟''

''ریڈ وائن۔''

جمال نے دو جام مئے ناب سے بھرے۔ رسمی گفتگو کچھ دیر جاری رہی۔

''جمال آپ تو بادشاہ گر ہیں۔ حکومت میں کوئی عہدہ قبول نہیں کیا مگر حکومت آپ کے اشارۂ ابرو کی محتاج ہے۔''

''یہ مبالغہ ہے۔'' جمال نے مروتاً کہا۔

''یہ حقیقت ہے۔''

جمال اس بات پر طمانیت بھری ہنسی ہنسا۔

''دہشت گردی کا خاتمہ ضروری ہے مسٹر جمال۔''

''بے شک۔''

''دہشت گردوں کے بہت سے اڈے تباہ ہو گئے ہیں۔ مگر پھر بھی بہت کام کرنا باقی ہے جمال!''

''ہاں آپ ٹھیک کہہ رہے ہیں۔''

''کالی پہاڑی ان میں سے ایک ہے جمال۔''

یہ بات سنتے ہی جمال کے گلے میں مئے ناب کا گھونٹ رُک گیا اور اسے کھانسی کا دورہ بڑا۔ مکین اُسے غور سے دیکھتے ہوئے اُٹھا۔ ایک اور جام بھرا اور کمرے میں ٹہلنے لگا۔

''کالی پہاڑی ان میں سے ایک ہے جمال!''

مکین نے دُہرایا تو بات جمال کی سمجھ میں آ گئی۔ اس نے سوچا کہ انگریز بڑی آفت چیز کا نام ہے۔ یہ ذرّے سے آفتاب نکال لیتا ہے۔ کھرا ناپتے ناپتے یہ میرے دروازے تک آ گیا ہے۔

''تم تو وہاں رہ چکے ہو جمال!''

مکین نے جمال کی آنکھوں میں آنکھیں ڈال کر سامنے والی کرسی پر بیٹھتے

ہوئے کہا تو جمال کا دِل بیٹھنے لگا۔

''ہاں مگر وہاں تو دہشت گرد نہیں رہتے۔ بس ایک متوقع خودکش حملہ آور نظر آیا تھا۔ باقی لوگ تو درویش ہیں۔''

''دہشت گردی درویش ہی تو کرتے ہیں جمال! یہ عام آدمی کے بس کی بات کہاں ہے میرے عزیز۔''

یہ کہہ کر مکین نے بھرپور قہقہہ لگایا۔

''جمال ہمیں وہاں جا کر صورتِ حال کا جائزہ لینا چاہیے۔''

ہیلی کاپٹر کالی پہاڑی کی طرف پرواز کر رہا تھا۔ دُور دریا ریشمی دھاگے کی طرح دکھائی دے رہا تھا۔ وہی دریا جس میں ایک دن جمال چابی بھرے کھلونے کی طرح اُترا تھا وہی دریا جس کی ترائی پر وہ گھوڑا دوڑاتا تھا، کشتی چلاتا تھا اور پن چکی سے پستی ہوئی گندم دیکھتا تھا۔ جب ہیلی کاپٹر حویلی کے لان میں اُترا تو حویلی کا کھنڈر آثارِ قدیمہ کا نقشہ پیش کر رہا تھا۔ باہر اُڑتی ہوئی دھول تھی۔ جمال گم سم بیٹھا کھڑکی سے باہر دیکھ رہا تھا۔ مکین نے مسکرا کر اسے باہر نکلنے کا اِشارہ کیا۔ وہ اُتر کر نادانستہ کھنڈر کی طرف چلنے لگا تو مکین نے اسے بازو سے پکڑ کر جیپ میں بیٹھنے کو کہا۔

''حویلی تھی کبھی، اب تو کھنڈر ہے جمال۔ آؤ گیسٹ ہاؤس جا کر آرام کرتے ہیں۔''

کچے راستے پر اینٹوں کا چُورا ڈال کر سڑک بنائی گئی تھی جو دیودار کے پیڑوں کے نیچے گھومتی ہوئی سام کی فیکٹری میں آ کر رُکی۔ مکین نے کہا:

''فیکٹری تھی کبھی، اب گیسٹ ہاؤس ہے۔ یہاں بہت سے فیننٹ تھے جو اُڑ گئے اور فیکٹری کے مالک اور مزدور کہیں چلے گئے۔ پرولتاریہ نظام زیادہ دیر تک نہیں چل

سکتا ڈیئر۔'' مکین کی نظریں پون چکی پر تھی۔

دُور درختوں سے ایک رنگوں بھرا فیزنٹ پھڑ پھڑاتا ہوا آیا۔ جمال کی ٹانگوں کو چھُو کر گھومتا رہا پھر مڑا اور واپس ہولیا۔ جمال نے جاتے ہوئے پرندے سے کہا:

''لیڈی ایمرسٹ! تم اب تک زندہ ہو؟ ساڑھے تین سال بعد بھی؟؟''

فیکٹری کا بڑا ہال اب ڈرائنگ روم تھا۔ اردگرد کے کمرے بیڈروم بن چکے تھے۔ گیسٹ ہاؤس میں بیس کے قریب لوگ ٹھہرے ہوئے تھے جو ٹھہری نگاہوں سے جمال کو ہیلو اور ہائے کہتے تھے۔ کالی پہاڑی پر بجلی، ریڈیو، ٹی وی، کیبل نیٹ ورک، کمپیوٹر، فون ہر چیز موجود تھی۔ رات کھانا کھانے کے بعد جمال بہت دیر جاگتا رہا۔ صبح کہیں اس کی آنکھ لگی۔

جب وہ جاگا تو دیوار سے چپکا کلاک گیارہ بج کر سات منٹ دکھا رہا تھا۔ کیا اب تک کالی پہاڑی پر وقت رُکا ہوا ہے؟ وہ سوچ ہی رہا تھا کہ منٹ کی سوئی ایک قدم آگے بڑھی۔ وہ زندہ کلاک کو دیکھتا رہا۔ تازہ دم ہونے اور ناشتہ کرنے کے بعد وہ فیکٹری سے باہر آیا۔ کچھ دیر لیڈی ایمرسٹ سے کھیلتا رہا۔ پون چکی کو دیکھتا رہا۔ پھر چورا بھرے راستے پر چرچراتے ہوئے پاؤں اسے کھنڈر تک لے آئے۔

ایک اُجاڑ فرش پر کھڑے ہو کر اس نے سوچا کہ کبھی یہاں دبیز ارغوانی قالین بچھا تھا۔ دیواروں کے ساتھ مخملیں رنگ برنگے تکیے تھے۔ ہر تکیے کے کانوں میں گول پھندنوں کے جھمکے تھے۔ ایک بڑے تکیے کے پھندنوں کے نیچے سونے کے پیندے کٹوروں کی طرح مخملیں ریشوں کو سہارا دیتے تھے۔ کچھ دیر لان میں چلنے کے بعد وہ پہاڑی ٹریک کی طرف چلا۔ بابا بے دست کی کٹیا غائب تھی۔ البتہ ٹریک اسی طرح بل کھاتا ہوا پہاڑ پر چڑھتا تھا۔ وہ پہاڑ چڑھنے لگا۔ دو ایک موڑ مڑنے کے بعد اس نے دیکھا کہ دُور کچھ لوگ بیٹھے ہیں۔ فوجی ہوں گے، اس نے سوچا، قریب جا کر دیکھا

تو مُندری والا اور شینا تھے۔ شینا تین چار سالہ بچے کے ساتھ کھیل رہی تھی۔ بچہ ہلکا سانولا تھا۔ سیدھے بال اس کے ماتھے پر پھیلے تھے جو دیودار کے پتوں کی چھلنی سے چھن کر آتی ہوا سے لہراتے تھے۔ جمال نے بچے کو گود میں اُٹھا کر اس کی آنکھوں میں جھانکا۔ نیم بیضوی چہرے پر بڑی بڑی سیاہ آنکھیں تھیں۔ بچہ کچھ دیر جمال کو دیکھتا رہا پھر اس نے اپنی ماں کی طرف بازو پھیلا دیے۔ جمال واپس چلا۔

اچانک اس نے مڑ کر دیکھا۔ مُندری والا تھا نہ شینا اور نہ بچہ — یہ تینوں کہاں گئے؟ کیا وہ تھے یا میرا وہم تھا؟ یہ سوچ کر وہ تیزی سے ٹریک اُترنے لگا۔ حویلی کے کھنڈر سے گزرتا گیسٹ ہاؤس کے راستے پر چل دیا۔ بدیسی فوجیوں کی ٹکڑیاں گاہے گاہے اس کے پاس سے گزرتیں۔ اس کے پاؤں کے نیچے اینٹوں کا چُورا چر چرا رہا تھا۔ اُوپر درختوں میں سائبیریا سے آئے مہاجر پرندوں کا میلہ لگا تھا۔ ہوا میں رنگ اُڑ رہے تھے۔

□□□

Rancière and Film

THE UNIVERSITY OF
WINCHESTER

Martial Rose Library
Tel: 01962 827306

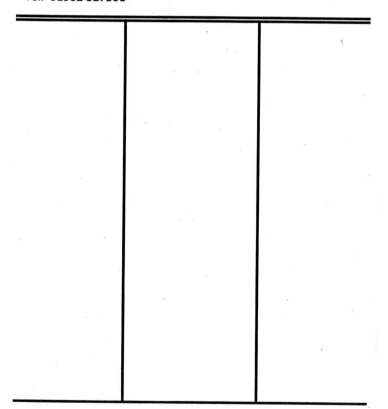

To be returned on or before the day marked above, subject to recall.

Critical Connections

A series of edited collections forging new connections between
contemporary critical theorists and a wide range of research areas,
such as critical and cultural theory, gender studies, film, literature,
music, philosophy and politics.

Series Editors
Ian Buchanan, University of Wollongong
James Williams, University of Dundee

Editorial Advisory Board

Nick Hewlett
Gregg Lambert
Todd May
John Mullarkey
Paul Patton
Marc Rölli
Alison Ross
Kathrin Thiele
Frédéric Worms

Titles available in the series

Badiou and Philosophy edited by Sean Bowden and Simon Duffy
Agamben and Colonialism edited by Marcelo Svirsky and
Simone Bignall
Laruelle and Non-Philosophy edited by John Mullarkey and
Anthony Paul Smith
Virilio and Visual Culture edited by John Armitage and Ryan Bishop
Rancière and Film edited by Paul Bowman
Stiegler and Technics, edited by Christina Howells and Gerald Moore

Forthcoming titles
Nancy and the Political, edited by Sanja Dejanovic
Badiou and the Political Condition, edited by Marios Constantinou
Butler and Ethics, edited by Moya Lloyd

Visit the Critical Connections website at
www.euppublishing.com/series/crcs